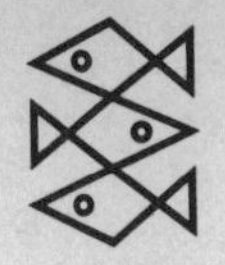

D0973866

Über dieses Buch

Die ›Weiße Rose‹ wurde zum Symbol einer Aktion, mit der einige Münchner Studenten zum Widerstand gegen die Diktatur Hitlers aufriefen. Sie bezahlten dafür mit ihrem Leben: im Februar 1943 fielen sie der Gestapo in die Hände.
Hans und Sophie Scholl waren unter den Hingerichteten. Inge Scholl, die Schwester, erzählt mit Hilfe von geretteten Dokumenten die Vorgeschichte und den Verlauf dieser Bewegung.

Die Autorin

Inge Aicher-Scholl, geboren 1917, gründete nach dem Kriege die Ulmer Volkshochschule und setzte wenige Jahre später mit der Gründung der ›Geschwister-Scholl-Stiftung‹, der Trägerin einer neuen Hochschule für Gestaltung, ihren Geschwistern ein Denkmal.

Inge Scholl

DIE WEISSE ROSE

Erweiterte Neuausgabe

Fischer Taschenbuch Verlag

Fischer Taschenbuch Verlag
368.–377. Tausend Mai 1977
378.–385. Tausend Juli 1978
386.–395. Tausend Mai 1979
396.–407. Tausend Oktober 1979
408.–420. Tausend Dezember 1980
421.–440. Tausend August 1981
Durchgesehene Neuausgabe
441.–460. Tausend September 1982
Fischer Taschenbuch Verlag GmbH, Frankfurt am Main
Lizenzausgabe mit freundlicher Genehmigung der S. Fischer Verlags GmbH, Frankfurt am Main
Satz: Georg Wagner, Nördlingen
Druck und Bindung: Hanseatische Druckanstalt GmbH, Hamburg
Printed in Germany
580-ISBN-3-596-20088-1

INHALT

Als wir vor zehn Jahren, zuerst als halbes Gerücht, dann mit der zuverlässigen Bestätigung von dem kühnen Versuch erfuhren, womit die Geschwister Scholl und ihr Freundeskreis das Gewissen der studierenden Jugend zu erreichen suchten, da wußten wir, und sprachen es auch aus: dieser Aufschrei der deutschen Seele wird durch die Geschichte weiterhallen, der Tod kann ihn nicht, konnte ihn nicht in die Stummheit zwingen. Die Sätze, die auf Papierfetzen durch die Münchner Hochschule flatterten, waren ein Fanal und sind es geblieben.

So wurde das tapfere Sterben der jungen Menschen, die gegen die Phrase und die Lüge die Reinheit der Gesinnung und den Mut zur Wahrheit setzten, im Auslöschen ihres Lebens zu einem Sieg.

So muß ihre Erscheinung inmitten der deutschen Tragik begriffen werden – nicht als ein gegenüber der Gewalt mißglückender Versuch zur Wende, sondern als das Abschirmen eines Lichtes in der dunkelsten Stunde.

Und darum gehören ihrem Gedächtnis Dank und Ehrfurcht.

Theodor Heuss

Aus den Grußworten des Bundespräsidenten an die Berliner und Münchner Studenten zur Gedächtnisfeier am 22. Februar 1953

DIE WEISSE ROSE

In den frühlinghaften Februartagen nach der Schlacht bei Stalingrad fuhr ich in einem Vorortzug von München nach Solln. Neben mir saßen zwei Parteigenossen im Abteil, die sich flüsternd über die jüngsten Ereignisse in München unterhielten. »Nieder mit Hitler« war in großen weißen Buchstaben an die Universität geschrieben worden. Flugblätter waren gefallen, die zum Widerstand aufriefen, die Stadt war wie von einem Stoß erschüttert. Zwar stand alles noch wie zuvor, das Leben ging weiter wie je, aber im geheimen war etwas verändert. Das merkte ich an dem Gespräch der beiden Männer, die sich hier im Abteil gegenübersaßen und ihre Köpfe zusammensteckten. Sie sprachen vom Ende des Krieges und was sie tun würden, wenn es plötzlich vor ihnen stünde. »Es wird nichts übrigbleiben, als sich zu erschießen«, meinte der eine und blickte rasch zu mir herüber, ob ich vielleicht etwas verstanden hätte.

Wie mögen diese beiden Männer aufgeatmet haben, als wenige Tage später überall brennend rote Plakate zur Beruhigung der Bevölkerung angeschlagen waren, auf denen zu lesen stand:

Wegen Hochverrats wurden zum Tode verurteilt:
Der 24jährige Christoph Probst
der 25jährige Hans Scholl
die 22jährige Sophia Scholl
Das Urteil wurde bereits vollstreckt.

Die Presse schrieb von verantwortungslosen Einzelgängern, die sich durch ihr Tun automatisch aus der Volksgemeinschaft ausgeschlossen hätten.

Von Mund zu Mund erzählte man sich, daß an die hundert Personen verhaftet worden waren, und daß noch weitere Todesurteile zu erwarten seien. Der Präsident des Volksgerichtshofes war im Flugzeug eigens von Berlin gekommen, um kurzen Prozeß zu machen.

In einem zweiten, späteren Verfahren wurden noch zum Tode verurteilt und hingerichtet:

Willi Graf
Professor Kurt Huber
Alexander Schmorell.

Was hatten diese Menschen getan? Worin bestand ihr Verbrechen?

Während die einen über sie spotteten und sie in den Schmutz zogen, sprachen die anderen von Helden der Freiheit.

Aber kann man sie Helden nennen? Sie haben nichts Übermenschliches unternommen. Sie haben etwas Einfaches verteidigt, sind für etwas Einfaches eingestanden, für das Recht und die Freiheit des einzelnen Menschen, für seine freie Entfaltung und ein freies Leben. Sie haben sich keiner außergewöhnlichen Idee geopfert, haben keine großen Ziele verfolgt; was sie wollten, war, daß Menschen wie du und ich in einer menschlichen Welt leben können. Und vielleicht liegt darin das Große, daß sie für etwas so Einfaches eintraten und ihr Leben dafür aufs Spiel setzten, daß sie die Kraft hatten, das einfachste Recht mit einer letzten Hingabe zu verteidigen. Vielleicht ist es schwerer, ohne allgemeine Begeisterung, ohne große Ideale, ohne hohe Ziele, ohne deckende Organisationen und ohne Verpflichtung für eine gute Sache einzustehen, und allein und einsam sein Leben für sie einzusetzen. Vielleicht liegt darin das wirkliche Heldentum, beharrlich gerade das Alltägliche, Kleine und Naheliegende zu verteidigen, nachdem allzuviel von großen Dingen geredet worden ist.

Das beschauliche Städtchen im Kochertal, in dem wir unsere Kindertage verbrachten, schien von der großen Welt vergessen. Die einzige Verbindung mit dieser Welt war eine gelbe Postkutsche, die die Bewohner in langer, rumpelnder Fahrt zur Bahnstation brachte. Mein Vater jedoch, der dort Bürgermeister war, sah mit großem Kummer die Nachteile dieser Weltabgeschiedenheit und setzte es schließlich in zähem Kampf gegen manchen Bauernschädel durch, daß endlich eine Eisenbahn gebaut wurde.

Uns aber erschien die Welt dieses Städtchens nicht klein, sondern weit und groß und herrlich. Wir hatten auch bald begriffen, daß sie am Horizont, wo die Sonne auf- und unterging, noch lange nicht zu Ende war.

Aber eines Tages rollten wir auf den Rädern unserer geliebten Eisenbahn mit Sack und Pack davon, weit fort über die Schwäbische Alb.

Ein großer Sprung war getan, als wir in Ulm, der Stadt an der Donau, ausstiegen, die nun unsere neue Heimat werden sollte. Ulm – das hörte sich an wie der Klang der größten Glocke vom gewaltigen Münster.

Zuerst hatten wir großes Heimweh. Doch viel Neues zog bald unsere Aufmerksamkeit auf sich, besonders die Höhere Schule, in die wir fünf Geschwister eines nach dem andern eintraten.

An einem Morgen hörte ich auf der Schultreppe eine Klassenkameradin zur andern sagen: »Jetzt ist Hitler an die Regierung gekommen.« Und das Radio und alle Zeitungen verkündeten: »Nun wird alles besser werden in Deutschland. Hitler hat das Ruder ergriffen.«

Zum erstenmal trat die Politik in unser Leben. Hans war damals 15 Jahre alt, Sophie 12. Wir hörten viel vom Vaterland reden, von Kameradschaft, Volksgemeinschaft und Heimatliebe. Das imponierte uns, und wir horchten begeistert auf, wenn wir in der Schule oder auf der Straße davon sprechen hörten. Denn unsere Heimat liebten wir sehr, die Wälder, den Fluß und die alten, grauen Steinriegel, die sich zwischen den Obstwiesen und Weinbergen an den steilen Hängen emporzogen. Wir hatten den Geruch von Moos, von feuchter Erde und duftenden Äpfeln im Sinn, wenn wir an unsere Heimat dachten. Und jeder Fußbreit war uns dort vertraut und lieb. Das Vaterland, was war es anderes als die größere Heimat all derer, die die gleiche Sprache sprachen und zum selben Volke gehörten. Wir liebten es und konnten kaum sagen, warum. Man hatte bisher ja auch nie viele Worte darüber gemacht. Aber jetzt, jetzt wurde es groß und leuchtend an den Himmel geschrieben. Und Hitler, so hörten wir überall, Hitler wolle diesem Vaterland zu

Größe, Glück und Wohlstand verhelfen; er wolle sorgen, daß jeder Arbeit und Brot habe; nicht ruhen und rasten wolle er, bis jeder einzelne Deutsche ein unabhängiger, freier und glücklicher Mensch in seinem Vaterland sei. Wir fanden das gut, und was immer wir dazu beitragen konnten, wollten wir tun. Aber noch etwas anderes kam dazu, was uns mit geheimnisvoller Macht anzog und mitriß. Es waren die kompakten Kolonnen der Jugend mit ihren wehenden Fahnen, den vorwärtsgerichteten Augen und dem Trommelschlag und Gesang. War das nicht etwas Überwältigendes, diese Gemeinschaft? So war es kein Wunder, daß wir alle, Hans und Sophie und wir anderen, uns in die Hitlerjugend einreihten.
Wir waren mit Leib und Seele dabei, und wir konnten es nicht verstehen, daß unser Vater nicht glücklich und stolz ja dazu sagte. Im Gegenteil, er war sehr unwillig darüber, und zuweilen sagte er: »Glaubt ihnen nicht, sie sind Wölfe und Bärentreiber, und sie mißbrauchen das deutsche Volk schrecklich.« Und manchmal verglich er Hitler mit dem Rattenfänger von Hameln, der die Kinder mit seiner Flöte ins Verderben gelockt hatte. Aber Vaters Worte waren in den Wind gesprochen, und sein Versuch, uns zurückzuhalten, scheiterte an unserer Begeisterung.
Wir gingen mit den Kameraden der Hitlerjugend auf Fahrt und durchstreiften in weiten Wanderungen unsere neue Heimat, die Schwäbische Alb.
Wir liefen lange und anstrengend, aber es machte uns nichts aus; wir waren zu begeistert, um unsere Müdigkeit einzugestehen. War es nicht großartig, mit jungen Menschen, denen man sonst vielleicht nie nähergе-

kommen wäre, plötzlich etwas Gemeinsames und Verbindendes zu haben? Wir trafen uns zu den Heimabenden, es wurde vorgelesen und gesungen, oder wir machten Spiele oder Bastelarbeiten. Wir hörten, daß wir für eine große Sache leben sollten. Wir wurden ernst genommen, in einer merkwürdigen Weise ernst genommen, und das gab uns einen besonderen Auftrieb. Wir glaubten, Mitglieder einer großen Organisation zu sein, die alle umfaßte und jeden würdigte, vom Zehnjährigen bis zum Erwachsenen. Wir fühlten uns beteiligt an einem Prozeß, an einer Bewegung, die aus der Masse Volk schuf. Manches, was uns anödete oder einen schalen Geschmack verursachte, würde sich schon geben – so glaubten wir. Einmal sagte eine fünfzehnjährige Kameradin im Zelt, als wir uns nach einer langen Radtour unter einem weiten Sternenhimmel zur Ruhe gelegt hatten, ziemlich unvermittelt: »Alles wäre so schön – nur die Sache mit den Juden, die will mir nicht hinunter.« Die Führerin sagte, daß Hitler schon wisse, was er tue, und man müsse um der großen Sache willen manches Schwere und Unbegreifliche akzeptieren. Das Mädchen jedoch war mit dieser Antwort nicht ganz zufrieden, andere stimmten ihr bei, und man hörte plötzlich die Elternhäuser aus ihnen reden. Es war eine unruhige Zeltnacht – aber schließlich waren wir doch zu müde. Und der nächste Tag war herrlich und voller Erlebnisse. Das Gespräch der Nacht war vorläufig vergessen.
In unseren Gruppen entstand ein Zusammenhalt, der uns über die Schwierigkeiten und die Einsamkeit jener Entwicklungsjahre hinwegtrug, vielleicht auch hinwegtäuschte.

Hans hatte sich einen Liederschatz gesammelt, und seine Jungen hörten es gerne, wenn er zur Gitarre sang. Es waren nicht nur die Lieder der Hitlerjugend, sondern auch Volkslieder aus allerlei Ländern und Völkern. Wie zauberhaft klang doch solch ein russisches oder norwegisches Lied in seiner dunklen, ziehenden Schwermut. Was erzählte es einem nicht von der Eigenart jener Menschen und ihrer Heimat.

Aber nach einiger Zeit ging eine merkwürdige Veränderung in Hans vor, er war nicht mehr der alte. Etwas Störendes war in sein Leben getreten. Nicht die Vorhaltungen des Vaters waren es, nein, denen gegenüber konnte er sich taub stellen. Es war etwas anderes. Die Lieder sind verboten, hatten ihm die Führer gesagt. Und als er darüber lachte, hatten sie ihm mit Strafen gedroht. Warum sollte er diese Lieder, die so schön waren, nicht singen dürfen? Nur weil sie von anderen Völkern ersonnen waren? Er konnte es nicht einsehen; es bedrückte ihn, und seine Unbekümmertheit begann zu schwinden.

Zu dieser Zeit wurde er mit einem ganz besonderen Auftrag ausgezeichnet. Er sollte die Fahne seines Standorts zum Parteitag nach Nürnberg tragen. Seine Freude war groß. Aber als er zurückkam, trauten wir unseren Augen kaum. Er sah müde aus, und in seinem Gesicht lag eine große Enttäuschung. Irgendeine Erklärung durften wir nicht erwarten. Allmählich erfuhren wir aber doch, daß die Jugend, die ihm dort als Ideal vorgesetzt wurde, völlig verschieden war von dem Bild, das er sich von ihr gemacht hatte. Dort Drill und Uniformierung bis ins persönliche Leben hinein – er aber hätte gewünscht, daß jeder Junge das

Besondere aus sich machte, das in ihm steckte. Jeder einzelne Kerl hätte durch seine Phantasie, seine Einfälle und seine Eigenart die Gruppe bereichern helfen sollen. Dort aber, in Nürnberg, hatte man alles nach einer Schablone ausgerichtet. Von Treue hatte man gesprochen, bei Tag und Nacht. Was aber war denn der Grundstein aller Treue: zuerst doch die zu sich selbst . . . Mein Gott! In Hans begann es gewaltig zu rumoren.

Bald darauf beunruhigte ihn ein neues Verbot. Einer der Führer hatte ihm das Buch seines Lieblingsdichters aus der Hand genommen, Stefan Zweigs ›Sternstunden der Menschheit‹. Das sei verboten, hatte man ihm gesagt. Warum? Darauf gab es keine Antwort. Über einen anderen deutschen Schriftsteller, Fritz von Unruh, der ihm sehr gefiel, hörte er etwas Ähnliches. Er hatte aus Deutschland fliehen müssen, weil er für den Gedanken des Friedens eingetreten war.

Hans war schon vor längerer Zeit zum Fähnleinführer befördert worden. Er hatte sich mit seinen Jungen eine prachtvolle Fahne mit einem großen Sagentier genäht. Die Fahne war etwas Besonderes; sie war auf den Führer geweiht, und die Jungen hatten ihr Treue gelobt, weil sie das Symbol ihrer Gemeinschaft war. Aber eines Abends, als sie mit der Fahne angetreten waren, zum Appell vor einem höheren Führer, war eine unerhörte Geschichte passiert. Der Führer hatte plötzlich unvermittelt den kleinen Fahnenträger, einen fröhlichen zwölfjährigen Jungen, aufgefordert, die Fahne abzugeben.

»Ihr braucht keine besondere Fahne. Haltet euch an die, die für alle vorgeschrieben ist.«

Hans war tief betroffen. Seit wann das? Wußte der Stammführer nicht, was gerade diese Fahne für seine Gruppe bedeutete? War sie nicht mehr als ein Tuch, das man nach Belieben wechseln konnte?
Noch einmal forderte der andere den Jungen auf, die Fahne herauszugeben. Der blieb starr stehen, und Hans wußte, was in ihm vorging und daß er es nicht tun würde. Als der höhere Führer den Kleinen zum drittenmal mit drohender Stimme aufforderte, sah Hans, daß die Fahne ein wenig bebte. Da konnte er nicht länger an sich halten. Er trat still aus der Reihe heraus und gab diesem Führer eine Ohrfeige.
Von da an war er nicht mehr Fähnleinführer.

Der Funke quälenden Zweifels, der in Hans erglommen war, sprang auf uns alle über.
In jenen Tagen hörten wir auch eine Geschichte von einem jungen Lehrer, der auf rätselhafte Weise verschwunden war. Er war vor eine SA-Gruppe gestellt worden, und alle mußten an ihm vorbeiziehen und ihm ins Gesicht spucken – auf Befehl. Darauf hatte den jungen Lehrer niemand mehr gesehen. Er war in einem Konzentrationslager verschwunden. »Aber was hatte er denn getan?« fragten wir seine Mutter mit angehaltenem Atem. »Nichts, nichts«, rief die Frau verzweifelt. »Er war eben kein Nationalsozialist, er konnte halt da nicht mitmachen, *das* war sein Verbrechen.«
Mein Gott! Wie da der Zweifel, der bisher nur ein Funke war, erst zu tiefer Trauer wurde und dann zu einer Flamme der Empörung aufloderte. In uns be-

gann eine gläubige, reine Welt zu zerbrechen, Stück um Stück. Was hatte man in Wirklichkeit aus dem Vaterland gemacht? Nicht Freiheit, nicht blühendes Leben, nicht Gedeihen und Glück jedes Menschen, der darin lebte. Nein, eine Klammer um die andere hatte man um Deutschland gelegt, bis allmählich alles wie in einem großen Kerker gefangen saß.

»Was, Vater, ist ein Konzentrationslager?«

Er berichtete uns, was er wußte und ahnte, und fügte hinzu: »Das ist Krieg. Krieg mitten im tiefsten Frieden und im eigenen Volk. Krieg gegen den wehrlosen, einzelnen Menschen, Krieg gegen das Glück und die Freiheit seiner Kinder. Es ist ein furchtbares Verbrechen.«

War aber die quälende Enttäuschung vielleicht nur ein böser Traum, von dem wir am andern Morgen erwachen würden? In unseren Herzen entbrannte ein heftiger Kampf. Wir versuchten, unsere alten Ideale gegen alles, was wir erlebt und gehört hatten, zu verteidigen.

»Weiß denn der Führer etwas von den Konzentrationslagern?«

»Sollte er es nicht wissen, da sie nun schon Jahre existieren und seine nächsten Freunde sie eingerichtet haben? Und warum hat er nicht seine Macht benützt, um sie sofort abzuschaffen? Warum ist es jenen, die daraus entlassen wurden, bei Androhung härtester Strafen untersagt, etwas von ihren Erlebnissen zu erzählen?«

In uns erwachte ein Gefühl, als lebten wir in einem einst schönen und reinen Haus, in dessen Keller hinter verschlossenen Türen furchtbare, böse, unheimliche

Dinge geschehen. Und wie der Zweifel langsam von uns Besitz ergriffen hatte, so erwachte nun in uns das Grauen, die Angst, der erste Keim einer grenzenlosen Unsicherheit.

»Wie aber war es möglich, daß in unserem Volke so etwas an die Regierung kommen konnte?«

»In einer Zeit großer Not«, so erklärte uns der Vater, »kommt allerlei nach oben. Schaut, welche Zeiten wir durchzustehen hatten: zuerst den Krieg, dann die Schwierigkeiten der Nachkriegszeit, Inflation und große Armut. Darauf Arbeitslosigkeit. Wenn dem Menschen erst die nackte Existenz untergraben ist und er die Zukunft nur noch wie eine graue, undurchdringliche Wand sieht – dann hört er auf Versprechungen und Verlockungen, ohne zu fragen, wer sie macht.«

»Aber Hitler hat doch sein Versprechen, die Arbeitslosigkeit zu beseitigen, gehalten!«

»Das bestreitet ja niemand. Aber fragt nicht, wie! Die Kriegsindustrie hat er angekurbelt, Kasernen werden gebaut . . . Wißt ihr, wo das endet? . . . Er hätte es auch auf dem Wege über die Friedensindustrie schaffen können, die Arbeitslosigkeit zu beseitigen – in der Diktatur ist das leicht genug zu erreichen. Aber wir sind doch kein Vieh, das mit einer vollen Futterkrippe allein zufrieden ist. Die materielle Sicherheit allein wird nie genügen, uns glücklich zu machen. Wir sind doch Menschen, die ihre freie Meinung, ihren eigenen Glauben haben. Eine Regierung, die an diese Dinge rührt, hat keinen Funken Ehrfurcht mehr vor dem Menschen. Das aber ist das erste, was wir von ihr verlangen müssen.«

Auf einem weiten Frühlingsspaziergang hatte sich dieses Gespräch zwischen dem Vater und uns entsponnen. Und wir hatten uns wieder einmal alle Fragen und Zweifel gründlich vom Herzen geredet.
»Ich möchte nur, daß ihr gerad und frei durchs Leben geht, wenn es auch schwer ist«, hatte der Vater noch gesagt.
Plötzlich waren wir Freunde geworden, der Vater und wir. Und keiner von uns hätte daran gedacht, daß er doch viel älter war. Wir spürten mit Genugtuung, daß die Welt weiter geworden war. Zugleich begriffen wir, daß diese Weite auch Gefahr und Wagnis in sich trug.

Die Familie wurde uns nun zu einer kleinen, festen Insel in dem unverständlichen und immer fremder werdenden Getriebe.
Aber daneben gab es noch etwas anderes für Hans und meinen jüngsten Bruder Werner, was in diesen Jahren zwischen vierzehn und achtzehn ihr Leben bestimmte und mit einem unbeschreiblichen Elan erfüllte: die ›jungenschaft‹, eine kleine Gruppe von Freunden. Es gab sie in verschiedenen Städten in Deutschland, vor allem dort, wo sich noch kulturelles Leben regte. Sie sammelte die letzten Reste der zersprengten Bündischen Jugend und war eigentlich schon längst von der Gestapo verboten. Um weiter existieren zu können, hatte sich die ›jungenschaft‹ dem Jungvolk angeschlossen und war in ihm untergetaucht. Das konnte nicht lange gutgehen, denn die ›jungenschaft‹ hatte ihren eigenen, sehr eindrucksvollen Stil, der sich be-

wußt in allem von der Hitlerjugend unterschied. Die Mitglieder der ›jungenschaft‹ erkannten sich an der Art, wie sie sich kleideten, sie kannten sich an ihren Liedern, ja an ihrer Sprache. Für diese Jungen war das Leben ein großes Abenteuer, eine Expedition in eine unbekannte, verlockende Welt. Die Gruppe ging übers Wochenende auf Fahrt und pflegte, auch bei grimmiger Kälte in einer Kote zu wohnen, einem Zelt nach dem Muster der Lappen im hohen Norden. Wenn sie um das Feuer saßen, lasen sie einander vor, oder sie sangen und begleiteten ihren Chor mit der Gitarre, dem Banjo und der Balalaika. Sie sammelten die Lieder aller Völker und dichteten und komponierten ihre eigenen feierlichen Gesänge und lustigen Schlager dazu. Sie malten und photographierten, sie schrieben und dichteten, und daraus entstanden ihre herrlichen Fahrtenbücher und Zeitschriften, die ihnen niemand nachahmen konnte. Sie stiegen im Winter auf die abgelegensten Almen und machten die verwegensten Skiabfahrten; sie liebten es, in der Morgenfrühe Florett zu fechten; sie trugen Bücher mit sich herum, die ihnen wichtig waren und die ihnen neue Dimensionen der Welt und des eigenen Innern erschlossen. Rilke zum Beispiel, Stefan George, Lao-tse, Hermann Hesse, die Heldenfibel von tusk, dem in der ›jungenschaft‹ eine führende Rolle zukam (und der inzwischen ins Ausland hatte fliehen müssen). Sie waren ernst und verschwiegen, sie hatten ihren eigenen Humor und ganze Eimer voll Witz und Skepsis und Spott. Sie konnten wild und ausgelassen durch die Wälder jagen, sie warfen sich am frühen Morgen in eiskalte Flüsse; sie konnten stundenlang still auf dem Bauch lie-

Hans Scholl, Ulm, geboren am 22. 9. 1918,
Student der Medizin,
hingerichtet am 22. 2. 1943

gen, um Wild oder Vögel zu beobachten. Sie saßen genauso still und mit angehaltenem Atem in Konzerten, um die Musik zu entdecken. Man sah sie im Kino, wenn einmal ein schöner Film auftauchte, oder im Theater, wenn ein Stück die Gemüter bewegte. Sie gingen auf Zehenspitzen in den Museen umher; sie waren mit dem Münster und seinen verborgensten Schönheiten vertraut. Sie liebten in besonderer Weise die blauen Pferde von Franz Marc, die glühenden Kornfelder und Sonnen von van Gogh und die exotische Welt Gauguins. Aber mit all dem ist eigentlich gar nichts Präzises gesagt. Vielleicht soll man auch nicht viel sagen, weil sie selbst so verschwiegen waren und still hineinwuchsen in das Erwachsensein, in das Leben.

Einer der Lieblingschöre der Jungen lautete:

Schließ Aug und Ohr für eine Weil
vor dem Getös der Zeit,
Du heilst es nicht und hast kein Heil,
als bis Dein Herz sich weiht.

Dein Amt ist hüten, harren, sehn
im Tag die Ewigkeit,
Du bist schon so im Weltgeschehn
gefangen und befreit.

Die Stunde kommt, da man Dich braucht,
dann sei Du ganz bereit,
und in das Feuer, das verraucht,
wirf Dich als letztes Scheit.

Plötzlich lief eine Verhaftungswelle durch ganz Deutschland und zerstörte diese letzten Reste einer großen, zu Beginn unseres Jahrhunderts aufgebrochenen Jugendbewegung.

Für viele dieser Jungen wurde das Gefängnis eine der wichtigen Erschütterungen ihrer Jugend. Und manche von ihnen begriffen, daß eine Jugend und eine Jugendbewegung und die ›jungenschaft‹ einmal enden mußten, weil sie den Schritt zum Erwachsensein zu vollziehen hatten. Die Tagebücher, die Zeitschriften und die Liederhefte wurden beschlagnahmt und eingestampft. Die Jungen wurden nach einigen Wochen oder Monaten wieder freigelassen. Hans schrieb damals in eines seiner Lieblingsbücher auf die erste, unbeschriebene Seite: »Reißt uns das Herz aus dem Leibe – und ihr werdet euch tödlich daran verbrennen.«

Diese Jungenzeit hätte einmal enden müssen, auch ohne Gestapo. Das war die Erkenntnis, die Hans während seiner ersten Berührung mit der grauen Gefängniszelle gewann. Er faßte nun fest das Studium ins Auge, das ihm bevorstand, und entschloß sich für den Arztberuf.

Hans spürte, daß das Schöne und das ästhetische Genießen des Daseins allein, auch das stille Hineinwachsen in das Leben ihm nicht mehr genügten, daß es in der Gefährdung dieser Zeit kaum mehr Halt geben konnte. Daß eine letzte brennende Leere blieb, und daß die beunruhigenden Fragen keine Antwort fanden. Nicht bei Rilke und nicht bei Stefan George, nicht bei Nietzsche und auch nicht bei Hölderlin. Aber Hans hatte das sichere Gefühl, daß sein redliches Suchen ihn richtig führen werde. Er begegnete schließlich, auf merkwürdigen Umwegen, den antiken Philosophen, er lernte Plato und Sokrates kennen. Er stieß auf die frühen christlichen Denker, er beschäftigte sich mit Augustinus. Er entdeckte Pascal. Die Heilige Schrift bekam eine neue, überraschende Bedeutung; Aktualität brach durch die alten, scheinbar verdorrten Worte und gab ihnen das Gewicht des Überzeugenden.

Jahre waren seitdem vergangen. Aus dem Krieg im Innern, gegen einzelne Menschen, war der Krieg gegen die Völker geworden, der Zweite Weltkrieg.

Hans hatte bereits zu studieren begonnen, als der Krieg ausbrach. Zunächst war ihm noch eine ungewisse Frist geblieben, sein Studium fortzusetzen. Dann wurde er zu einer Sanitätskompanie eingezogen, und wenig später machte er als Sanitäter den Frankreichfeldzug mit. Hernach wurde er einer Studentenkompanie in München zugeteilt. So konnte er weiterstudieren. Aber es war ein höchst seltsames Studentenleben, halb Soldat, halb Student, einmal in der Kaserne, dann wieder in der Universität oder in der Klinik. Das waren zwei entgegengesetzte Welten, die sich nie vertragen wollten. Hans fiel dieses zwiespältige Leben besonders schwer. Schwerer noch und dunkler aber lastete auf ihm, daß er in einem Staat leben mußte, in dem die Unfreiheit, der Haß und die Lüge nun zum Normalzustand geworden waren.

Wurde nicht die Klammer der Gewaltherrschaft immer enger und unerträglicher? War nicht jeder Tag, an dem man noch in Freiheit lebte, ein Geschenk? Denn niemand war davor sicher, einer geringfügigen Bemerkung wegen verhaftet zu werden, vielleicht für

immer zu verschwinden. Konnte Hans sich wundern, wenn morgen früh die Geheime Staatspolizei klingelte und seiner Freiheit ein Ende setzte?
Hans wußte gut, daß er nur einer von Millionen in Deutschland war, die ähnlich wie er empfanden. Aber wehe, wenn jemand ein freies, offenes Wort riskierte. Er wurde unerbittlich ins Gefängnis geworfen. Wehe, wenn eine Mutter ihrem bedrängten Herzen Luft machte und den Krieg verwünschte. Sie wurde ihres Lebens so schnell nicht wieder froh. Ganz Deutschland schien von geheimen Ohren belauscht.

Im Frühjahr 1942 fanden wir wiederholt hektographierte Briefe ohne Absender in unserem Briefkasten. Sie enthielten Auszüge aus Predigten des Bischofs von Münster, Graf Galen, und sie verbreiteten Mut und Aufrichtigkeit.

»Noch steht ganz Münster unter dem Eindruck der furchtbaren Verwüstungen, die der äußere Feind und Kriegsgegner in dieser Woche uns zugefügt hat. Da hat gestern zum Schlusse dieser Woche, am 12. Juli, die Geheime Staatspolizei die beiden Niederlassungen der Gesellschaft Jesu in unserer Stadt beschlagnahmt, die Bewohner aus ihrem Eigentum vertrieben, die Patres und Brüder genötigt, unverzüglich, noch am gestrigen Tage, nicht nur ihre Häuser, sondern auch die Provinz Westfalen und die Rheinprovinz zu verlassen. Und das gleiche harte Los hat man ebenfalls gestern den Schwestern bereitet. Die Ordenshäuser und Besitzungen samt Inventar wurden zugunsten der Gauleitung Westfalen-Nord enteignet.

So ist also der Klostersturm, der schon länger in der Ostmark, in Süddeutschland, in den neuerworbenen Gebieten Warthegau, Luxemburg, Lothringen und anderen Reichsteilen wütete, auch hier in Westfalen ausgebrochen.
Wie soll das enden? Es handelt sich nicht etwa darum, für obdachlose Bewohner von Münster eine vorübergehende Unterkunft zu schaffen. Die Ordensleute waren bereit und entschlossen, ihre Wohnungen für solche Zwecke aufs äußerste einzuschränken, um gleich anderen Obdachlose aufzunehmen und zu verpflegen. Nein, darum handelte es sich nicht. Im Immakulatakloster in Wikinghege richtet sich, wie ich höre, die Gaufilmstelle ein. Man sagt mir, in der Benediktinerabtei St. Josef werde ein Entbindungsheim für uneheliche Mütter eingerichtet. Und keine Zeitung hat bisher berichtet von den freilich gefahrlosen Siegen, die in diesen Tagen die Beamten der Gestapo über wehrlose Ordensmänner und schutzlose deutsche Frauen errungen haben, und von den Eroberungen, die die Gauleitung in der Heimat am Eigentum deutscher Volksgenossen gemacht hat. Vergebens sind alle mündlichen und telegraphischen Proteste!
Gegen den Feind im Innern, der uns peinigt und schlägt, können wir nicht mit Waffen kämpfen. Da bleibt nur ein Kampfmittel: starkes, zähes, hartes Durchhalten! Hart werden! Fest bleiben! Wir sehen und erfahren jetzt deutlich, was hinter den neuen Lehren steht, die man uns seit einigen Jahren aufdrängt, denen zuliebe man die Religion aus der Schule verbannt, unsere Vereine unterdrückt hat, jetzt die Kin-

dergärten zerstören will: abgrundtiefer Haß gegen das Christentum, das man ausrotten möchte.
Wir sind in diesem Augenblick nicht Hammer, sondern Amboß. Andere, meist Fremde und Abtrünnige, hämmern auf uns, wollen mit Gewaltanwendung unser Volk, und selbst unsere Jugend neu formen, aus der geraden Haltung zu Gott verbiegen. Was jetzt geschmiedet wird, das sind die ungerecht Eingekerkerten, die schuldlos Ausgewiesenen und Verbannten. Gott wird ihnen beistehen, daß sie Form und Haltung christlicher Festigkeit nicht verlieren, wenn der Hammer der Verfolgung sie bitter trifft und ihnen ungerechte Wunden schlägt.«
»Seit einigen Monaten hören wir Berichte, daß aus Heil- und Pflegeanstalten für Geisteskranke auf Anordnung von Berlin Pfleglinge, die schon länger krank sind und vielleicht unheilbar erscheinen, zwangsweise abgeführt werden. Regelmäßig erhalten dann die Angehörigen nach kurzer Zeit die Mitteilung, der Kranke sei verstorben, die Leiche sei verbrannt, die Asche könne abgeholt werden. Allgemein herrscht der an Sicherheit grenzende Verdacht, daß diese zahlreichen, unerwarteten Todesfälle von Geisteskranken nicht von selbst eintreten, sondern absichtlich herbeigeführt werden, daß man dabei jener Lehre folgt, die behauptet, man dürfe sogenanntes ›lebensunwertes Leben‹ vernichten, also unschuldige Menschen töten, wenn man meint, es sei für Volk und Staat nichts mehr wert. Eine furchtbare Lehre, die die Ermordung Unschuldiger rechtfertigen will, die die gewaltsame Tötung der nicht mehr arbeitsfähigen Invaliden, Krüppel, unheilbar Kranken, Altersschwachen grundsätzlich freigibt!«

Hans ist tief erregt, nachdem er diese Blätter gelesen hat. »Endlich hat einer den Mut, zu sprechen.« Eine Zeitlang betrachtet er nachdenklich die Drucksachen und sagt schließlich: »Man sollte einen Vervielfältigungsapparat haben.«

Trotz allem – Hans hatte eine Lebensfreude, die nicht so schnell auszulöschen war. Ja, je dunkler die Welt um ihn wurde, um so heller und stärker entfaltete sich diese Kraft in ihm. Und sie hatte sich sehr vertieft nach dem Erlebnis des Krieges in Frankreich. In so großer Nähe zum Tode hatte das Leben einen besonderen Glanz bekommen.

Hans hatte in jener Zeit ein ungewöhnliches Glück, besonderen Menschen zu begegnen. An einem Herbsttag lernte er Carl Muth, den ergrauten Herausgeber des ›Hochland‹, einer bekannten Zeitschrift kennen, die von den Nazis verboten worden war. Hans hatte eigentlich nur etwas bei ihm abzugeben. Aber der Alte blickte mit seinen hellen Augen Hans ins Gesicht, und als er ein paar Worte mit ihm gewechselt hatte, lud er ihn ein, bald wiederzukommen. Von da an war Hans häufig sein Gast. Stundenlang konnte er sich mit der riesigen Bibliothek beschäftigen. Hier verkehrten Dichter, Gelehrte und Philosophen. Hundert Türen und Fenster in die Welt des Geistes taten sich ihm im Gespräch mit ihnen auf. Aber er sah auch, daß sie wie Kellerpflanzen in dieser Unfreiheit lebten, und daß sie alle von der einen, großen Sehnsucht erfüllt waren, wieder frei atmen, frei schaffen zu dürfen und ganz wieder sie selbst zu sein.

Auch unter den Studenten traf Hans manchen, der seiner Gesinnung war. Einer fiel ihm unter allen besonders auf durch seine hochgewachsene Gestalt und sein unmilitärisches Benehmen. Das war Alexander Schmorell, der Sohn eines angesehenen Arztes in München. Bald entspann sich zwischen ihnen eine herzliche Freundschaft, die zunächst damit begann, daß sie das sture Kasernendasein mit unzähligen witzigen Einfällen und Streichen auf den Kopf stellten. Shurik – so nannten ihn seine Freunde – sah die Welt mit Augen so voll von Phantasie, als sehe er sie täglich neu und zum erstenmal. Schön fand er sie, originell und voller Witz und Kuriosität. Und er genoß sie in einer großzügigen und kindlichen Lust und fragte und rechnete nicht viel nach. Und genauso, wie er in vollen Zügen nahm, so gab er auch. Er konnte schenken wie ein König. Aber zuweilen schimmerte durch diese Heiterkeit, durch seine freie, ungebundene Lebensart noch etwas anderes, ein Fragen und Suchen, ja ein uralter, tiefer Ernst. Als kleines Kind war er nach der Revolution im Arm einer Kinderfrau mit seinen Eltern aus Rußland ausgewandert. »Und nun bin ich vom Regen in die Traufe gekommen«, sagte Shurik. Ich bin überzeugt, daß die Initiative zu den Widerstandsaktionen der Weißen Rose von ihm zusammen mit Hans ausgegangen ist.

Durch Alex gewann Hans noch einen weiteren Freund unter den Studenten. Das war Christl Probst. Hans hatte bald erkannt, daß zwischen ihm und Christl eine innere Verwandtschaft bestand. Die gleiche Liebe zur Schöpfung, dieselben Bücher und Philosophen waren es, die sie beide bewegten. Christl kannte die Sterne

Alexander Schmorell, München, geboren am 16. 9. 1917,
Student der Medizin,
hingerichtet am 13. 7. 1943

und wußte viel von den Steinen und Pflanzen der oberbayerischen Berge, in denen er zu Hause war. Am stärksten jedoch verband Hans mit ihm das gemeinsame Suchen nach dem Einen, das hinter all den Dingen, hinter den Menschen und ihrer Geschichte steht. Christl hing mit großer Verehrung an seinem Vater, der ein feinsinniger Privatgelehrter gewesen war. Vielleicht hat dessen früher Tod viel zu Christls ungewöhnlicher Reife beigetragen. Als einziger der vier Studenten war er verheiratet. Er hatte zwei Söhne im Alter von zwei und drei Jahren. Aus diesem Grunde hatte man ihn später, als der Freundeskreis sich zum aktiven Widerstand entschlossen hatte, bewußt aus den gefährdenden Aktionen wie etwa der Vervielfältigung und Verteilung der Flugblätter herauszuhalten versucht. Zweifellos hatte Christl beim Entwurf und der Formulierung der Texte eine wichtige Rolle gespielt.
Später gesellte sich noch ein vierter hinzu: Willi Graf, ein blonder, großer Saarländer. Ein ziemlich schweigsamer Kerl war er, bedächtig und in sich gekehrt. Als Hans ihn näher kennenlernte, wurde ihm bald klar, daß Willi zu ihnen gehörte. Auch Willi Graf beschäftigte sich intensiv mit Fragen der Philosophie und Theologie. Sophie schilderte ihn: »Wenn er etwas sagt, in seiner gründlichen Art, so hat man den Eindruck, als habe er es nicht eher aussprechen können, bis er sich mit seiner ganzen Person dazu stellen konnte. Deshalb wirkt alles an ihm so sauber, echt und zutiefst zuverlässig.« Willis Vater, Direktor einer Weingroßhandlung, war es gewohnt, daß sein Sohn seinen eigenen Weg ging. Schon früh hatte er sich einer sehr lebendigen katholischen Jugendgruppe ange-

schlossen und die Verhaftungswelle, die im Jahre 1937 Hans erfaßte, hatte auch Willi zu verspüren bekommen. Nun studierte er, wie Christl, Alex und Hans, Medizin.
Oft trafen sie sich nach einem Konzert in einer italienischen Weinstube. Sehr bald fühlten sie sich in Hans' Bude oder bei Alex zu Hause. Sie machten sich gegenseitig auf Bücher aufmerksam, lasen etwas vor, diskutierten, oder sie verfielen plötzlich in einen tollen Übermut und erfanden allen möglichen Unsinn. Dieser Überschuß an Phantasie, an Humor und Lebenslust mußte sich manchmal Luft machen.

Es war am Vorabend von Sophies einundzwanzigstem Geburtstag.
»Ich kann's noch kaum glauben, daß ich morgen mit dem Studium anfangen darf«, hatte sie beim Gutenachtgruß zu der Mutter gesagt, die in der Diele stand und Sophies Blusen bügelte. Auf dem Boden lag ein offener Koffer mit Kleidern und frischer Wäsche und mit all den tausend Kleinigkeiten, die Sophie für den neuen Studentenhaushalt haben mußte. Daneben eine Tasche mit einem knusprig-braunen, duftenden Kuchen. Sophie beugte sich hinunter und schnupperte daran. Dabei entdeckte sie die Flasche Wein, die daneben steckte. Lange genug hatte Sophie auf diesen Tag warten müssen.
Eine schwere Geduldsprobe war das schon gewesen. Zuerst Arbeitsdienst, ein halbes Jahr, das kein Ende nehmen wollte. Und dann, als sie eben zum Sprung in die ersehnte Freiheit ansetzte, eine neue Schranke:

noch ein weiteres halbes Jahr Kriegshilfsdienst. Sie wollte gewiß nicht sentimental sein, aber was sie da gelitten hatte . . . Die Arbeit hatte sie nicht gefürchtet; aber das andere, den Zwang, den Massenbetrieb im Lager, die Schablone. Und auch dies wäre noch zur Not zu ertragen gewesen, wenn nicht ihre Überzeugung sie in eine tiefe, ununterbrochene Abwehrstellung gezwungen hätte. War es nicht eine unverzeihliche Charakterlosigkeit von ihr, wenn sie auch nur einmal eine Hand für einen Staat rührte, dessen Fundamente doch Lüge, Haß und Unfreiheit waren? »Ich möchte, daß ihr gerad und frei durchs Leben geht«, hatte der Vater gesagt. Wie unsäglich schwer das sein konnte. Sophie hatte diesen Konflikt manchmal wie eine übergroße Last empfunden und war damit unter den vielen Mädchen beim Arbeitsdienst einsam geworden. So hielt sie sich ganz im Hintergrund und versuchte den Eindruck zu erwecken, als sei sie nicht da. Mochten die andern Mädchen von ihr denken, was sie wollten. Was Heimweh und Verlassenheit war, das hatte sie damals erfahren. Aber zwei Dinge hatte sie sich bewahrt von daheim, von der anderen Welt, und an denen hielt sie fest. Sie waren wie Pfähle in diesem Meer von Fremdheit und Widersinn. Das eine war das Bedürfnis – vielleicht war es ein Schutz gegen eine unappetitliche Umgebung –, ihren Körper in besonderem Maße zu pflegen. Ihr Geist aber suchte bei den Gedanken des Augustinus Halt. Eigene Bücher zu haben war verboten. Ihren Augustinus-Band jedoch hielt sie an einem sicheren Platz verborgen. Es gab in jenen Jahren eine Renaissance der theologischen Literatur, die von den Kirchenvätern bis zu den Scholasti-

kern mit Thomas von Aquin als der zentralen Figur reichte, und weiter zu kühnen Nachfolgern in der modernen französischen Philosophie und Theologie. Sie erfaßte auch Kreise, welche außerhalb der offiziellen Gläubigkeit standen. Bei Augustinus fand Sophie diesen Satz, der für sie geschrieben schien, ganz genau für sie, obwohl er schon über tausend Jahre alt war: »Du hast uns geschaffen hin zu Dir, und unruhig ist unser Herz, bis es Ruhe findet in Dir.« Ach, es war ja nicht mehr das Kinderheimweh, es ging viel weiter, und Sophie empfand die Welt manchmal als einen fremden, öden, von Gott verlassenen Raum. Die Menschen hatten die Fähigkeit entwickelt, in Spezialisierung und Zusammenarbeit das feingliedrige Gebäude der Kultur aufzubauen. Und immer wieder fielen sie in den Zustand zurück, sich zu negieren und ihre Werke gegenseitig zu zerstören, schließlich nicht nur ihre Werke, sondern sich selbst.
Sophie hatte in der Nähe des Lagers eine kleine Kapelle entdeckt. Manchmal war sie dorthin gegangen. Schön war es gewesen, an der Orgel zu sitzen und zu spielen – und dazwischen nichts zu tun als nachzudenken und in die Natur hinauszuhorchen, in der sich ihre zerrissene Welt sanft ineinanderfügte und wieder Ordnung und Sinn gewann. Jede freie Stunde hatte sie genützt, um hinauszuschlüpfen in den großen Park um das Lager, der überall in Wald und Wiese überging. Ganz still hatte sie dagelegen, selbst ein kleines Stück Natur. Wie schön war der Umriß einer Tanne, in welcher Gelassenheit lebte solch ein Baum dahin. Wie schön das Moos an seinem Stamm, das so selbstverständlich von seinen Kräften zehrte. Das Leben,

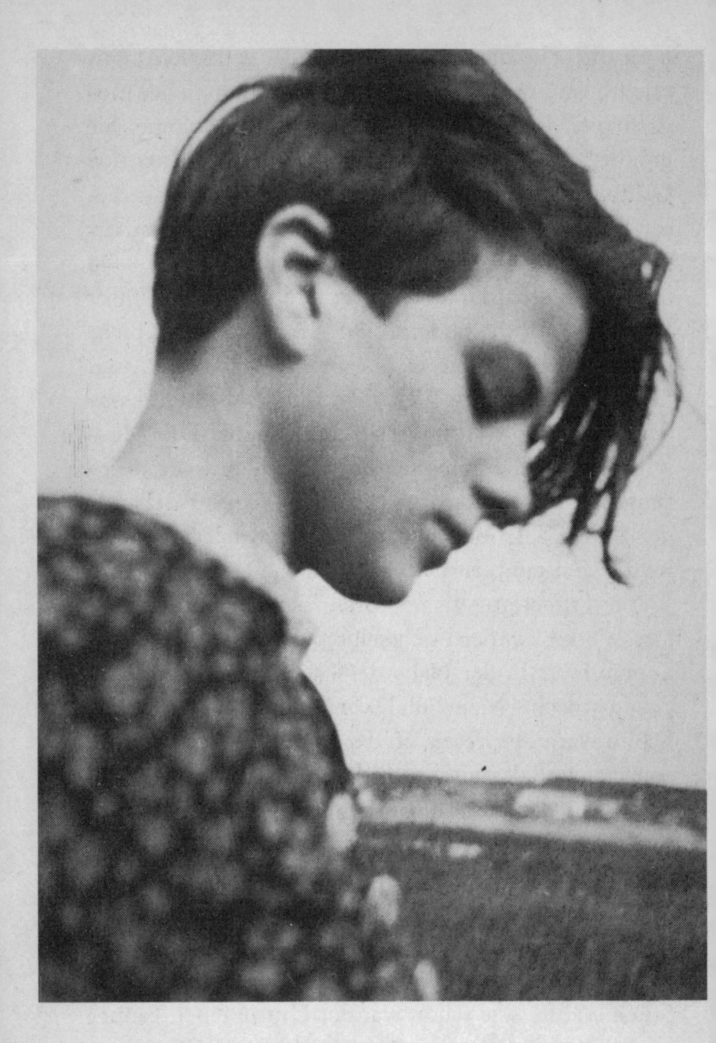

Sophie Scholl, Ulm, geboren am 9. 5. 1921,
Studentin der Biologie und Philosophie,
hingerichtet am 22. 2. 1943

wie groß war es und unfaßlich. Sophie fühlte, daß ihre Haut fein und porös geworden war, als könne sie es einatmen, das wunderbare, schöne Dasein der Dinge. Doch dann brach der Konflikt wieder in ihrem Herzen auf und zog die ganze Welt hinein in seine Traurigkeit.

Jetzt aber war sie frei. Und morgen wollte sie nach München fahren, ihr Leben selbst formen, an die Universität, zu Hans . . .

Die Mutter stand immer noch in der Diele und bügelte. Sorgfältig fuhr sie mit dem Eisen über Sophies Bluse. Nun war sie also auch so weit, ihr kleiner, eigenwilliger Wisch. Was wohl aus ihr werden würde? Eine Welle von Hoffnung rann durch das Herz der Mutter. Ach, sie würde ihre Sache schaffen, wohin sie auch gestellt würde, ihr glückte doch alles, was sie in die Hände nahm. Die Gedanken der Mutter wanderten weiter, von einem Kind zum andern. Sie blieben am Jüngsten haften. Der war in Rußland. Was er wohl jetzt im Augenblick tat? Wenn nur der Krieg erst zu Ende wäre und sie alle wieder um den Tisch versammelt wären. Sie kniete am Boden und machte den Koffer zu. »Sie sind in Gottes Hand«, sagte sie und fing an aufzuräumen. Dazu sang sie leise, und plötzlich merkte sie, daß es das alte Lied war, mit dem sie oft ihre Kinder in den Schlaf gesungen hatte. »Breit aus die Flügel beide . . .«

Unsere Mutter gehörte nicht zu der Art von mütterlichen Wesen, die ständig in Angst und Sorge um die ihr Anvertrauten verharrten. Im Gegenteil, sie hielt

sich zurück mit Ermahnungen, wenn Hans und Werner zu ihren abenteuerlichen Fahrten aufbrachen. Einmal, als sie heimkehrten, sagte sie heimlich zu mir: »Ihr ahnt ja nicht, welche Angst ich jedesmal ausstehe. Eher würde ich mir jedoch auf die Zunge beißen, als ihnen durch mein Jammern den Spaß verderben.«
Aber jetzt wurde Mutters friedliches Herz manchmal von einer großen, fremden Sorge zermartert. Vor einiger Zeit nämlich hatte es zu ungewöhnlicher Morgenstunde geklingelt, und drei Männer von der Geheimen Staatspolizei hatten Vater zu sprechen gewünscht. Zuerst hatte es zwischen ihnen eine längere Unterredung gegeben, danach eine Durchsuchung der Wohnung, dann waren sie gegangen und hatten Vater mitgenommen. An diesem Tag spürten wir bis ins Mark, daß wir entsetzlich ohnmächtig waren. Was war denn ein Mensch in diesem Staat? Ein bißchen Staub, das man mit der Fingerspitze wegtupfte. Nur durch einen besonders glücklichen Umstand wurde Vater wieder aus dem Gefängnis entlassen. Aber es wurde ihm bedeutet, daß der ›Fall‹ noch nicht erledigt sei. Mein Vater war durch eine Angestellte angezeigt worden, der er unvorsichtigerweise seine eigene Meinung über Hitler gesagt hatte. Er hatte ihn vor ihren Ohren eine Gottesgeißel der Menschheit genannt.
Was wird nun weiter werden? Manchmal waren wir voller Hoffnung, daß sich doch alles noch zum Guten wenden werde. Doch immer wieder kroch dieses eisige, quälende Gefühl in unseren Herzen empor, daß eine furchtbare Pranke über uns war, die jede Minute niederfallen konnte; und niemand wußte, wer das nächste Opfer war.

»Dies Kind soll unverletzet sein«, sang die Mutter beharrlich ihr Lied zu Ende. Heute verdrängten Sophies Freude und die vielerlei Vorbereitungen für ihre Abreise die Sorge aus ihrem Herzen.

Ich sehe sie noch vor mir, meine Schwester, wie sie am nächsten Morgen dastand, reisefertig und voll Erwartung. Eine gelbe Margerite vom Geburtstagstisch steckte an ihrer Schläfe, und es sah schön aus, wie ihr so die dunkelbraunen Haare glatt und glänzend auf die Schultern fielen. Aus ihren großen, dunklen Augen sah sie sich die Welt an, prüfend und mit einer lebhaften Teilnahme. Ihr Gesicht war noch sehr kindlich und zart. Ein wenig von der schnuppernden Neugier eines jungen Tieres war darin und ein großer Ernst.
Als Sophie endlich in die Bahnhofshalle Münchens einfuhr, sah sie schon von weitem das fröhliche Gesicht ihres Bruders. Wie da in einem Nu alles vertraut war! »Heute abend wirst du meine Freunde kennenlernen«, sagte Hans. Er ging groß und sicher neben ihr her.
Am Abend trafen sich alle in Hans' Zimmer. Neben Sophie war der gefeierte Mittelpunkt ihr Geburtstagskuchen, in jenen Jahren eine Rarität. Jemand kam auf die Idee, Gedichte vorzulesen, und die andern mußten raten, von welchem Dichter sie seien. Alle waren gefesselt von diesem Spiel. »Nun aber werde ich euch noch ein ganz schweres Rätsel aufgeben«, rief Hans enthusiastisch. Er kramte aus seiner Brieftasche ein maschinengeschriebenes Blatt hervor und las:

»Aus dunkler Höhle fährt
Ein Schächer, um zu schweifen;
Nach Beuteln möcht er greifen
Und findet bessern Wert:
Er findet einen Streit
Um nichts, ein irres Wissen,
Ein Banner, das zerrissen,
Ein Volk in Blödigkeit.

Er findet, wo er geht,
Die Leere dürftger Zeiten,
Da kann er schamlos schreiten,
Nun wird er ein Prophet;
Auf einen Kehricht stellt
Er seine Schelmenfüße
Und zischelt seine Grüße
In die verblüffte Welt.

Gehüllt in Niedertracht
Gleichwie in einer Wolke,
Ein Lügner vor dem Volke,
Ragt bald er groß an Macht
Mit einer Helfer Zahl,
Die, hoch und niedrig stehend,
Gelegenheit erspähend,
Sich bieten seiner Wahl.

Sie teilen aus sein Wort,
Wie einst die Gottesboten
Getan mit den fünf Broten,
Das kleckert fort und fort!
Erst log allein der Hund,

Nun lügen ihrer tausend;
Und wie ein Sturm erbrausend,
So wuchert jetzt sein Pfund.

Hoch schießt empor die Saat,
Verwandelt sind die Lande,
Die Menge lebt in Schande
Und lacht der Schofeltat!
Jetzt hat sich auch erwahrt,
Was erstlich war erfunden:
Die Guten sind verschwunden,
Die Schlechten stehn geschart!

Wenn einstmals diese Not
Lang wie ein Eis gebrochen,
Dann wird davon gesprochen
Wie von dem schwarzen Tod;
Und einen Strohmann bau'n
Die Kinder auf der Heide,
Zu brennen Lust aus Leide
Und Licht aus altem Graun.«

Einen Augenblick lang herrschte Stille. »Das ist ausgezeichnet«, sagte Christl verblüfft. »Großartig, Hans, das mußt du dem Führer widmen. Das gehört in den Völkischen Beobachter«, rief Alex entzückt über den Doppelsinn der Verse. Von wem mochte das Gedicht sein? – »Es wurde im vorigen Jahrhundert geschrieben, von Gottfried Keller.« – »Um so besser: dann können wir es drucken lassen, ohne Honorar bezahlen zu müssen, und mit dem Flugzeug über ganz Deutschland ausstreuen.«

Christoph Probst, München, geboren am 6. 11. 1919,
Student der Medizin,
hingerichtet am 22. 2. 1943

Sophie fiel die Weinflasche ein. Alex schlug vor, den Wein im Englischen Garten zu kühlen. »Schaut euch doch den Mond an, groß und goldgelb wie ein gut geratenes Spiegelei. Wir müssen ihn genießen.« Sie gingen in den Englischen Garten und zogen die Flasche an einer langen Schnur übermütig durch den kalten Eisbach. Alex hatte die Balalaika mitgenommen und begann zu singen. Hans griff nach der Gitarre, und Willi pfiff durch die Finger. Sie waren plötzlich wie hingerissen und sangen, wild, fröhlich und verzaubert.

Sophie wohnte diese Nacht bei ihrem Bruder. Sie dachte noch über den Abend nach. Zuerst hatten die Studenten von ihrer Arbeit in den Krankenhäusern und Lazaretten erzählt, in denen sie während der Ferien Dienst machten. »Es gibt nichts Schöneres, als so von Bett zu Bett zu gehen und das gefährdete Leben in den Händen zu halten. Da finde ich Augenblicke, in denen ich uneingeschränkt glücklich bin«, hatte Hans gesagt. »Aber ist es nicht ein Unsinn«, fragte da plötzlich jemand, »daß wir daheim in unseren Zimmern sitzen und lernen, wie man Menschen heilt, während draußen der Staat täglich zahllose junge Menschenleben in den Tod treibt? Worauf warten wir eigentlich? Bis eines Tages der Krieg zu Ende ist und alle Völker auf uns deuten und sagen, wir haben eine solche Regierung widerstandslos ertragen?«
Auf einmal war das Wort Widerstand gefallen. Sophie entsann sich nicht mehr, wer es zuerst gesagt hatte. In allen Ländern Europas erwachte er unter der Not und

Angst und Unterdrückung, die mit Hitlers Herrschaft einzogen.
Noch im Einschlafen ging Sophie das Gedicht von Gottfried Keller durch den Sinn, und halb träumend sah sie einen blauen Himmel über Deutschland, voll flatternder Flugblätter, die zur Erde niederwirbelten.
»Man sollte einen Vervielfältigungsapparat haben«, hörte sie plötzlich Hans sagen.
»Wie?«
»Ach, vergiß es wieder, Sophielein, ich wollte dich nicht stören.«

Durch einen jungen evangelischen Theologen erhielten wir damals Kenntnis von den ›Korrekturen‹, die man von Staats wegen vorbereitete, um sie nach dem Endsieg an den Glaubensgrundsätzen des Christentum vorzunehmen.
Grauenvolle und lästerliche Eingriffe, die man behutsam hinter dem Rücken der Männer plante, welche an den Fronten standen und unbeschreibliche Strapazen aushalten mußten.
Ebenso geheimnisvoll bereitete man Anordnungen für Mädchen und Frauen vor. Sie sollten nach dem Kriege diesen furchtbaren Menschenverlust durch eine ebenso planmäßige wie schamlose Bevölkerungspolitik wieder gutmachen. Schon Gauleiter Gießler hatte in einer großen Studentenversammlung den Studentinnen zugerufen, sie sollten sich während des Krieges nicht länger an den Universitäten herumdrükken, sondern »lieber dem Führer ein Kind schenken«.

Die Studenten hatten einen Professor entdeckt, der war, wie einer versicherte, das beste Stück an der ganzen Universität. Es war Professor Kurt Huber, Sophies Lehrer in Philosophie, der sich daneben besonders in der Volksliedforschung einen Namen gemacht hat. Bei ihm erschienen auch die Mediziner in den Vorlesungen, und man mußte früh da sein, wenn man einen Platz bekommen wollte. Wo Huber politisch stand, war für die Gesinnungsgenossen unter den Studenten unschwer aus seinen versteckten Anspielungen in seinen Vorlesungen herauszuhören. Er las über Leibniz und seine Theodizee. Es waren herrliche Vorlesungen. Theodizee, das heißt Rechtfertigung Gottes. Die Theodizee war ein großes und schwieriges Kapitel der Philosophie. Besonders schwierig im Krieg. Denn wie lassen sich in einer Welt, über die Mord und Not rast, die Spuren Gottes erkennen?
Wenn aber ein Lehrer wie Huber sie aufwies, wurde solche Deutung zum unvergeßlichen Erlebnis, das Licht auf eine Gegenwart warf, die sich nicht nur über Gottes Ordnung hinwegsetzen, sondern Gott selbst ausmerzen wollte. Es dauerte nicht lange, da hatte Hans Bekanntschaft mit Professor Huber angeknüpft, und nun kam auch dieser zuweilen in ihren Kreis und diskutierte mit ihnen. An allen ihren Problemen war er ebenso brennend interessiert wie sie selbst. Und obgleich seine Haare schon grau wurden, war er ihresgleichen.

Noch kaum sechs Wochen war Sophie in München, da ereignete sich etwas Unglaubliches an der Univer-

sität. Flugblätter wurden von Hand zu Hand gereicht, Flugblätter, von einem Vervielfältigungsapparat abgezogen. Eine merkwürdige Erregung entstand unter der Studentenschaft. Triumph und Begeisterung, Ablehnung und Wut wogten und schwelten durcheinander. Sophie jubelte heimlich, als sie davon hörte. Also doch, es lag in der Luft. Endlich hatte einer etwas gewagt. Begierig griff sie nach einem der Blätter und begann zu lesen. ›Die Flugblätter der Weißen Rose‹, stand darüber geschrieben. »Nichts ist eines Kulturvolkes unwürdiger, als sich ohne Widerstand von einer verantwortungslosen und dunklen Trieben ergebenen Herrscherclique ›regieren‹ zu lassen . . .« Sophies Augen flogen weiter. »Wenn jeder wartet, bis der andere anfängt, werden die Boten der rächenden Nemesis unaufhaltsam näher und näher rücken, dann wird auch das letzte Opfer sinnlos in den Rachen des unersättlichen Dämons geworfen sein. Daher muß jeder einzelne seiner Verantwortung als Mitglied der christlichen und abendländischen Kultur bewußt in dieser letzten Stunde sich wehren, soviel er kann, arbeiten wider die Geißel der Menschheit, wider den Faschismus und jedes ihm ähnliche System des absoluten Staates. Leistet passiven Widerstand – *Widerstand* –, wo immer ihr auch seid, verhindert das Weiterlaufen dieser atheistischen Kriegsmaschine, ehe es zu spät ist, ehe die letzten Städte ein Trümmerhaufen sind, gleich Köln, und ehe die letzte Jugend des Volkes irgendwo für die Hybris eines Untermenschen verblutet ist. Vergeßt nicht, daß ein jedes Volk diejenige Regierung verdient, die es erträgt . . .«
Sophie kamen diese Worte seltsam vertraut vor, als

seien es ihre eigensten Gedanken. Ein Verdacht erhob sich in ihr und griff mit eisiger Hand nach ihrem Herzen. Wie, wenn Hans' Bemerkung von dem Vervielfältigungsapparat mehr als ein achtlos hingesprochenes Wort gewesen wäre? Aber nein, nie und nie!
Als Sophie aus der Universität in die helle Sonne heraustrat, wich die Beklemmung von ihr. Wie hatte sie nur auf diesen wahnsinnigen Verdacht kommen können! In München brodelte es nun einmal an allen Ecken vor heimlicher Empörung.
Wenige Minuten später stand sie in Hans' Zimmer. Es roch nach Jasmin und Zigaretten. An den Wänden hingen, mit Stecknadeln angeheftet, einige Drucke neuerer französischer Malerei. Sophie hatte ihren Bruder heute noch nicht gesehen, wahrscheinlich war er in der Klinik. Sie wollte auf ihn hier warten. Das Flugblatt hatte sie vergessen. Sie blätterte ein wenig in den Büchern, die auf dem Tisch lagen. Da, hier war eine Stelle mit einem Lesezeichen versehen und mit einem feinen Bleistiftstrich am Rand. Ein altmodischer Klassikerband war es, von Schiller, und die aufgeschlagene Seite handelte über des Lykurgus und des Solon Gesetzgebung. Sie las: »Alles darf dem Besten des Staats zum Opfer gebracht werden, nur dasjenige nicht, dem der Staat selbst nur als ein Mittel dient. Der Staat selbst ist niemals Zweck, er ist nur wichtig als eine Bedingung, unter welcher der Zweck der Menschheit erfüllt werden kann, und dieser Zweck der Menschheit ist kein anderer, als Ausbildung aller Kräfte des Menschen, Fortschreitung. Hindert eine Staatsverfassung, daß alle Kräfte, die im Menschen liegen, sich entwickeln; hindert sie die Fortschreitung des Geistes,

so ist sie verwerflich und schädlich, sie mag übrigens noch so durchdacht und in ihrer Art noch so vollkommen sein ...« Wo hatte sie diese Worte gelesen, war es nicht erst heute gewesen? – Das Flugblatt! Dort standen diese Sätze. Einen langen, qualvollen Augenblick war es Sophie, als sei sie nimmer sie selbst. Eine erstickende Angst ergriff sie und ein einziger großer Vorwurf gegen Hans erhob sich in ihr. Warum gerade er? Dachte er nicht an den Vater, an die ohnehin schon gefährdeten Lieben daheim? Warum überließ er das nicht politischen Menschen, Leuten mit Erfahrung und Routine? Warum erhielt er sein Leben nicht für eine große Aufgabe, er, mit seinen ungewöhnlichen Begabungen? Das Schrecklichste aber war dies: nun war er vogelfrei. Er hatte sich aus der letzten Zone der Sicherheit herausbegeben. Nun stand er im Bereich des Wagnisses, am Rande des Daseins, in jenem ungeheuren Bezirk, in dem schrittweise neues Land für die Menschen erobert werden muß, erkämpft, errungen, erlitten.
Sophie versuchte ihrer Angst Herr zu werden. Sie versuchte, nicht mehr an das Flugblatt zu denken, sie dachte nicht mehr an Widerstand. Sie dachte an ihren Bruder, den sie lieb hatte. Er trieb in einem Meer der Bedrohung. Durfte sie ihn jetzt allein lassen? Konnte sie hier dasitzen und zusehen, wie Hans ins Verderben lief? Mußte sie nicht gerade jetzt ihm beistehen?
Mein Gott, ließe sich nicht alles noch einmal abstoppen? Konnte sie ihn nicht ans sichere Land zurückziehen und ihn den Eltern, sich selbst, der Welt und dem Leben erhalten? Aber sie wußte genau: er hatte die Grenzen, hinter denen die Menschen sich wohnlich

Willi Graf, Saarbrücken, geboren am 2. 1. 1918,
Student der Medizin,
hingerichtet am 12. 10. 1943

und sicher einrichten, übersprungen. Für ihn gab es kein Zurück mehr.
Endlich kam Hans.
»Weißt du, woher die Flugblätter kommen?« fragte Sophie.
»Man soll heute manches nicht wissen, um niemanden in Gefahr zu bringen.«
»Aber Hans. Allein schafft man so etwas nicht. Daß heute nur noch einer von einer solchen Sache wissen darf, zeigt doch, wie unheimlich diese Macht ist, die es fertigbringt, die engsten menschlichen Beziehungen zu zerfressen und uns zu isolieren. Allein kommst du gegen sie nicht an.«

In der darauffolgenden Zeit erschienen in kurzen Abständen drei weitere Blätter der Weißen Rose. Sie tauchten auch außerhalb der Universität auf, in ganz München flatterten sie da und dort in die Briefkästen. Und auch in anderen süddeutschen Städten wurden sie verbreitet.
Dann sah man nichts mehr von ihnen.

In der Studentenkompanie ging das Gerücht, daß die Medizinstudenten während der Semesterferien zu einem Fronteinsatz nach Rußland abkommandiert werden sollten. Über Nacht, kurz vor Abschluß des Semesters, wurde dieses Gerücht durch einen Befehl Wirklichkeit. Von einem Tag auf den andern mußten sie sich zum Abtransport nach Rußland bereitmachen.

Wieder hatten sich die Freunde versammelt; es war der letzte Abschied vor dem Transport. Sie wollten Abschied feiern. Professor Huber war auch gekommen, und noch einige weitere zuverlässige Studenten hatte man eingeladen. Obwohl es schon Wochen zurücklag, standen alle noch unter dem Eindruck der Flugblätter. Inzwischen hatten sich auch die andern in ähnlich behutsamer Weise wie Sophie neben Hans gestellt und waren zu Mitwissenden und zu Mittragenden der großen Verantwortung geworden. An diesem letzten Abend wollten sie noch einmal alles gründlich überblicken und besprechen, und am Ende einer ernsten Aussprache faßten sie einen Entschluß: wenn sie das Glück haben sollten, aus Rußland zurückzukehren, so sollte die Aktion der Weißen Rose sich ganz entfalten und der kühne Beginn zu sorgsam durchdachtem, hartem Widerstand werden. Man war sich darüber einig, daß dann der Kreis erweitert werden mußte. Jeder sollte mit größter Sorgfalt prüfen, wer von seinen Freunden und Bekannten zuverlässig genug wäre, um eingeweiht zu werden. Jedem sollte eine kleine, wichtige Aufgabe übertragen werden. Die Fäden des Ganzen sollten in der Hand von Hans zusammenlaufen.

»Unsere Aufgabe wird es sein«, sagte Professor Huber, »die Wahrheit so deutlich und hörbar als möglich hinauszurufen in die deutsche Nacht. Wir müssen versuchen, den Funken des Widerstandes, der in Millionen ehrlicher deutscher Herzen glimmt, anzufachen, damit er hell und mutig lodert. Die einzelnen, die vereinsamt und isoliert gegen Hitler stehen, müssen spüren, daß eine große Schar Gleichgesinnter mit ihnen ist. Damit wird ihnen Mut und Ausdauer gegeben.

Darüber hinaus müssen wir versuchen, diejenigen Deutschen, die sich noch nicht klar geworden sind über die dunklen Absichten unseres Regimes, aufzuklären und auch in ihnen den Entschluß zu Widerstand und aufrechter Abwehr zu wecken. Vielleicht gelingt es in letzter Stunde, die Tyrannis abzuschütteln und den wunderbaren Augenblick zu nützen, um gemeinsam mit den anderen Völkern Europas eine neue, menschlichere Welt aufzubauen.«
»Und wenn es nicht gelingt?« erhob sich eine Frage. »Ich zweifle sehr, daß es möglich sein wird, gegen diese eisernen Wände von Angst und Schrecken anzurennen, die jeden Willen zur Erhebung schon im Keim ersticken.«
»Dann müssen wir es trotzdem wagen«, entgegnete Christl leidenschaftlich. »Dann haben wir durch unsere Haltung und Hingabe zu zeigen, daß es noch nicht aus ist mit der Freiheit des Menschen. Einmal muß das Menschliche hoch emporgehalten werden, dann wird es eines Tages wieder zum Durchbruch kommen. Wir müssen dieses Nein riskieren gegen eine Macht, die sich anmaßend über das Innerste und Eigenste des Menschen stellt und die Widerstrebenden ausrotten will. Wir müssen es tun um des Lebens willen – diese Verantwortung kann uns niemand abnehmen. Der Nationalsozialismus ist der Name für eine böse, geistige Krankheit, die unser Volk befallen hat. Wir dürfen nicht zusehen und schweigen, wenn es langsam zerrüttet wird.«
Lange saßen sie in dieser Nacht beisammen. In solchen Gesprächen, im Für und Wider der Meinungen und Bedenken, erwarben sie sich die klare, feste Schau, die

notwendig war, um innerlich zu bestehen. Denn es kostete keine geringe Kraft, gegen den Strom zu schwimmen. Schwieriger aber und bitterer noch war es, dem eigenen Volk die militärische Niederlage wünschen zu müssen; sie schien die einzige Möglichkeit zu sein, es von dem Parasiten zu befreien, der sein innerstes Mark aussaugte.
Dann waren die Studenten fortgezogen. München war für Sophie leer und fremd geworden. Mit Beginn der Semesterferien fuhr sie nach Hause.

Sophie war noch nicht lange daheim, da erhielt der Vater mit der Morgenpost eine Anklageschrift vom Sondergericht. Eine Verhandlung wurde inszeniert, bei der er zu vier Monaten Gefängnis verurteilt wurde.
Der Vater im Gefängnis und die Brüder und Freunde alle an der Front in Rußland, unerreichbar fern.

Es war sehr still geworden daheim. Aber schön war es trotzdem, und Sophie genoß das Zuhause. Wie ein Schiff war es, das zäh und stetig auf dem tiefen, unheimlichen Meer dieser Zeit trieb. Wie ein Schiff – aber das bebte und zitterte manchmal – wie ein Boot auf dunklen, unberechenbaren Wogen.
Bei einem Gewitter war sie mit dem kleinen Jungen, der im Haus wohnte und den Sophie sehr liebte, auf die Plattform des Daches gestiegen, um rasch noch die Wäsche vor dem anziehenden Gewitterregen zu retten. Bei einem gewaltigen Donnerschlag blickte das

Kind angstvoll zu ihr auf. Da zeigte sie ihm den Blitzableiter. Nachdem sie ihm dessen Funktion erklärt hatte, fragte er: »Aber weiß der liebe Gott denn auch etwas von dem Blitzableiter?«
»Er weiß alle Blitzableiter und noch viel mehr, sonst stünde sicherlich kein Steinchen mehr auf dem andern in dieser Welt. Du brauchst keine Angst zu haben.«

Ab und zu erhielt Mutter Besuch von ihren früheren Freundinnen, den Diakonissenschwestern aus Schwäbisch-Hall. Dort war eine große Heilanstalt für geisteskranke Kinder.
Eines Tages kam wieder eine der Schwestern; sie war traurig und verzagt, und wir wußten nicht, wie wir ihr helfen konnten. Schließlich erzählte sie den Grund ihres Kummers. Ihre Schützlinge wurden seit einiger Zeit truppweise von Lastwagen der SS abgeholt und vergast. Nachdem die ersten Trüppchen von ihrer geheimnisvollen Fahrt nicht wiederkehrten, ging eine merkwürdige Unruhe durch die Kinder in der Anstalt. »Wo fahren die Wagen hin, Tante?« – »Sie fahren in den Himmel«, antworteten die Schwestern in ihrer ohnmächtigen Ratlosigkeit. Von da an stiegen die Kinder singend in die fremden Wagen.
»Aber nur über meine Leiche«, soll ein Arzt einer solchen Anstalt gesagt haben. Es wurde erst später bekannt, daß ein zähes Entgegentreten gegen diese Mordpraktiken nicht erfolglos gewesen war. So konnte Pastor Fritz von Bodelschwingh gemeinsam mit seinem Mitarbeiter Pastor Paul-Gerhard Braune

erreichen, daß die Tötungspläne der Nazis in Bethel nicht durchgesetzt werden konnten.
Ein Soldat kam auf Urlaub aus Rußland nach Hause. Er war der Vater eines solchen Kindes, und er hörte nicht auf zu hoffen, daß es wieder seine gesunden Sinne bekommen würde. Er liebte dieses Wesen, wie man eben nur sein eigenes Kind lieben kann. Aber als er aus Rußland nach Hause kam, war es nicht mehr am Leben.

Ein glücklicher Zufall hatte Hans an der Front in die Nähe des jüngsten Bruders geführt. Diese Freude und Überraschung, als da plötzlich mitten im weiten Rußland eine wohlvertraute Stimme vor dem Bunker nach Werner fragte.
An einem goldenen Spätsommertag erhielt Hans die Nachricht von Vaters Verurteilung. Er nahm ein Pferd und machte sich gleich auf den Weg zu Werner. »Ich habe einen Brief von zu Hause«, sagte Hans und reichte ihn dem kleinen Bruder hin. Der las und sagte kein Wort. Er sah mit zusammengekniffenen Augen in die Ferne und schwieg. Da tat Hans etwas Ungewöhnliches. Er legte die Hand auf die Schulter des Bruders und sagte: »Wir müssen das anders tragen als andere. Das ist eine Auszeichnung.«
Hans ritt langsam zu seiner Kompanie zurück. Eine grenzenlose Wehmut erfüllte ihn. Erinnerungen stiegen in ihm auf.
Sie hatten während des Transports an einer polnischen Station einige Minuten Aufenthalt gehabt. Am Bahndamm sah er Frauen und junge Mädchen gebückt, die

mit Eisenhacken in den Händen schwere Männerarbeit taten. Sie trugen den gelben Zionsstern an der Brust. Hans schwang sich aus dem Fenster seines Wagens und ging auf die Frauen zu. Die erste in der Reihe war ein junges, abgezehrtes Mädchen, mit schmalen Händen und einem intelligenten, schönen Gesicht, in dem eine große Trauer stand. Hatte er denn nichts bei sich, das er ihr schenken konnte? Da fiel ihm seine ›Eiserne Ration‹ ein, ein Gemisch von Schokolade, Rosinen und Nüssen, und er steckte es ihr zu. Das Mädchen warf es ihm mit einer gehetzten Gebärde vor die Füße. Er hob es auf, lächelte ihr ins Gesicht und sagte: »Ich hätte Ihnen so gerne eine kleine Freude gemacht.« Dann bückte er sich, pflückte eine Margerite und legte sie mit dem Päckchen zu ihren Füßen nieder. Aber schon rollte der Zug an, und mit ein paar langen Sätzen sprang Hans auf. Vom Fenster aus sah er, daß das Mädchen dastand und dem Zug nachblickte, die weiße Margerite im Haar.

Dann sah er die Augen eines jüdischen Greises, der am Ende eines Menschenzuges zur Zwangsarbeit ging. Es war ein ausgeprägtes Gelehrtengesicht. Ein Leid stand darin, wie Hans es noch nie gesehen hatte. Ratlos griff er nach seinem Tabaksbeutel und drückte ihn dem Alten heimlich in die Hand. Nie würde Hans den jähen Anflug von Glück vergessen, der in diesen Augen erglomm.

Und dann dachte er an jenen Frühlingstag in einem Heimatlazarett. Einer der Verwundeten sollte entlassen werden, man hatte ihn großartig zusammengeflickt. Aber kurz vor seiner Entlassung begann die

Wunde plötzlich wieder zu bluten. Alle Bemühungen waren vergebens. Der Mann verblutete unter den Händen der Ärzte. Erschüttert ging Hans hinaus. Da begegnete er auf dem Gang der jungen Frau des Verbluteten, die ihren Mann abholen wollte, selig vor Erwartung, mit einem bunten Blumenstrauß in den Armen.
Wann endlich, wann erkannte der Staat, daß ihm nichts höher sein sollte als das bißchen Glück der Millionen kleiner Menschen? Wann endlich ließ er ab von Idealen, die das Leben vergaßen, das kleine, alltägliche Leben? Und wann sah er ein, daß der unscheinbarste, mühseligste Schritt zum Frieden für den einzelnen wie für die Völker größer war als gewaltige Siege in Schlachten?
Hans' Gedanken wanderten zum Vater ins Gefängnis.

Als Hans im Spätherbst 1942 mit seinen Freunden aus Rußland heimkehrte, war auch der Vater wieder in Freiheit.
Die Erlebnisse an der Front und in den Lazaretten hatten Hans und seine Freunde reifer und männlicher gemacht. Sie hatten ihnen noch eindringlicher und klarer die Notwendigkeit gezeigt, diesem Staat mit seinem furchtbaren Vernichtungswahn entgegenzutreten. Die Freunde hatten gesehen, wie dort draußen das Leben aufs Spiel gesetzt und verschwendet wurde. Wenn schon das Leben riskiert werden sollte, warum nicht gegen die Ungerechtigkeit, die zum Himmel schrie.
Nun waren sie zurückgekehrt; nun sollte auch mit dem Entschluß, den sie an jenem Abschiedsabend gefaßt hatten, Ernst gemacht werden.

In der Nähe der Wohnung meiner Geschwister gab es ein Hinterhaus mit einem geräumigen Atelier. Ein Künstler, der dem Freundeskreis sehr nahe stand, hatte es ihnen zur Verfügung gestellt, als er selbst an die Front mußte. Niemand sonst wohnte in dem Häuschen. Hier trafen sie sich nun oft. Und manchmal kamen sie bei Nacht zusammen und arbeiteten Stunden um Stunden im Keller des Ateliers am Vervielfältigungsapparat. Das war eine große Geduldsprobe, Tausende und Tausende von Blättern abzuziehen. Aber auch eine große Befriedigung erfüllte sie dabei, endlich aus der Untätigkeit und Passivität herauszutreten und zu arbeiten. Manche fröhliche Nacht mögen sie so bei der Arbeit verbracht haben. Aber diese Freude wurde von übermenschlicher Sorge überschattet. Sie empfanden schmerzlich, wie grenzenlos isoliert sie waren, und daß vielleicht die besten Freunde sich entsetzt zurückziehen würden, wüßten sie davon. Denn allein das Mitwissen war ja eine ungeheure Gefährdung. Sie waren sich in solchen Stunden voll bewußt, daß sie auf einem schmalen Grat gingen. Wer wußte denn, ob man ihnen nicht inzwischen schon auf der Spur war, ob die Nachbarn die sie arglos grüßten, nicht schon ein Unternehmen eingeleitet hatten, sie alle zu fangen? Ob hinter ihnen irgendeiner auf der Straße ging, der ihre Wege beobachtete? Ob nicht schon die Abdrücke ihrer Finger aufgenommen waren? Der feste Boden der Stadt war zu einem brüchigen Gewebe geworden; würde er sie morgen noch tragen? Jeder Tag, der zu Ende ging, war ein Geschenk des Lebens, und jede Nacht, die hereinbrach, brachte die Sorge um das Morgen, und nur der Schlaf war eine barmherzige Decke. Die Sehnsucht, nur einmal das schwere, gefährliche Tun abzuschütteln und frei und wieder unbeschwert zu sein, ergriff sie zuweilen mit großer Gewalt. Es gab Augenblicke und Stunden, da es ihnen einfach zu schwer werden wollte, und in denen die Unsicherheit und die Angst wie ein Meer über ihnen zusammenschlug und ihren Mut begrub. Dann blieb ihnen nichts mehr, als in ihr eigenes Herz hinabzusteigen, dorthin, wo ihnen eine Stimme sagte, daß sie recht taten, und daß sie es tun müßten, auch wenn sie ganz allein in der Welt stünden. Ich glaube, in solchen Stunden haben sie frei mit Gott sprechen können, mit ihm, dem sie tastend in ihrer Jugend nachgingen. In dieser Zeit wurde ihnen Christus der seltsame, große Bruder, der immer da war, noch näher als der Tod. Der Weg, der kein Zurück duldete, die Wahrheit, die auf so viele Fragen Antwort gab, und das Leben, das volle, erfüllte Leben.

Eine weitere wichtige Arbeit neben der Herstellung der Flugblätter war ihre Verbreitung. Sie sollten ja in möglichst viele Städte gelangen, sollten wirken, so weit es nur ging. Nie zuvor hatten sie etwas Ähnliches getan. Alles mußte ausgedacht und probiert werden. Welche Möglichkeiten gab es, die Flugblätter in die Hände der Leute zu spielen? An welchen Plätzen und Orten mußte man sie niederlegen, damit möglichst viele Augen sie entdeckten, ohne jedoch die Spur zu den Urhebern zu finden? Sie packten sie in Koffer und fuhren mit ihrer gefährlichen Ware selbst in die großen Städte Süddeutschlands, um sie dort zu verbreiten, nach Frankfurt, Stuttgart, Wien, Freiburg, Saarbrücken, Mannheim, Karlsruhe.

Sie mußten ihr Gepäck irgendwo an einem unauffälligen Ort im Zug abstellen, sie mußten es durchbringen durch die zahlreichen Streifen von Wehrmacht, Kriminalpolizei oder gar Gestapo, die die Züge und manchmal auch die Koffer kontrollierten. Und in den Städten, in denen sie oft bei Nacht ankamen und in die Fliegeralarme hineingerieten, mußten sie versuchen, ihren Auftrag geschickt und lohnend zu erledigen. Welch ein Sieg, wenn man eine solche Reise glücklich bestanden und im Zug erleichtert und befreit schlafen konnte, den leeren Koffer harmlos über sich im Gepäcknetz. Und welche Sorge bei jedem Blick, der sich an einen heftete. Welcher Schrecken, sooft ein Mensch auf einen zukam – und welche Erleichterung, wenn er vorbeiging. Herz und Kopf, Sinn und Verstand arbeiteten unablässig, ob jede Möglichkeit, die Spur zu verdecken, beachtet war. Freude und das Gefühl des Erfolgs, Kummer und Sorge, Zweifel und Wagnis – so gingen die Tage dahin.

Immer häufiger erschienen in den Zeitungen kurze Nachrichten über Todesurteile, die der Volksgerichtshof über einzelne Menschen verhängt hatte, weil sie sich gegen den Tyrannen ihres Volkes erhoben, und sei es nur in Worten. Heute war es ein Pianist, morgen ein Ingenieur, ein Arbeiter oder der Direktor eines Werkes. Dazwischen Priester, ein Student, oder ein hoher Offizier, wie Udet, der genau in dem Augenblick abstürzte, als er unbequem zu werden begann. Menschen verschwanden lautlos von der Bildfläche, erloschen wie Kerzen im Sturmwind. Und wer nicht lautlos verschwinden konnte, bekam ein Staatsbegräbnis. Ich erinnere mich noch genau der Beerdigung Rommels. Obwohl es ein offenes Geheimnis war, daß ihn Hitlers Schergen zum Selbstmord gezwungen hatten, war in Ulm alles, was eine braune Uniform besaß, aufgeboten werden, um der Feier beizuwohnen, vom kleinsten Pimpf bis zum ältesten SA-Mann. Und ich entsinne mich noch, wie ich an den Fahnen vorbeischlich, um sie nicht grüßen zu müssen.

Die letzten Seiten der Zeitungen waren bedeckt mit den Todesanzeigen der Gefallenen, mit den eigentümlichen eisernen Kreuzen. Die Zeitungen sahen aus wie Friedhöfe.

Nur die Titelseite vorne hatte einen anderen Charakter. Sie war bestimmt durch unerträglich große Schlagzeilen wie diese: »Haß ist unser Gebet – und der Sieg unser Lohn.« Und dicke rote Balken waren daruntergesetzt, die aussahen wie zorngeschwollene Adern.

Haß ist unser Gebet . . .

Wir werden weitermarschieren, bis alles in Scherben fällt . . .

Die Zeitungen waren wie Minenfelder. Es bekam einem nicht gut, sie zu durchwandern. Wie ein Minenfeld war die ganze Zeit, war ganz Deutschland – armes, verdunkeltes Vaterland.

Die Zeitungen waren verschwiegen und wortkarg, nicht nur wegen der Papierknappheit. Sie hatten die Aufgabe, die totale Verdunklung des deutschen Geistes mitzuvollziehen. Sie verrieten kein Wort von dem Dorfgeistlichen, der ins Gefängnis gebracht wurde, weil er einen erschlagenen Kriegsgefangenen, der in

seinem Dorf Zwangsarbeit hatte tun müssen, öffentlich in sein sonntägliches Vaterunser eingeschlossen hatte.
Sie berichteten kein Wort davon, daß täglich nicht nur ein Todesurteil, sondern Dutzende gefällt wurden. Die Wochenschau schaute weiß Gott nicht in die Gefängnisse, die beinahe barsten vor Überfüllung, obwohl ihre Insassen mehr Schatten und Skeletten als menschlichen Körpern glichen. Sie sah nicht die blassen Gesichter dahinter, sie hörte nicht die klopfenden Herzen, nicht den stummen Schrei, der durch ganz Deutschland ging.
Sie erwähnte nicht die junge Frau, die nach dem Fliegerangriff mit dem einzigen, was ihr geblieben war im kleinen Reisekoffer, ihrem toten Kind, durch Dresden irrte und einen Friedhof suchte, es zu begraben.
Sie konnte auch nichts von dem einfachen deutschen Soldaten wissen, den plötzlich mitten in Rußland ein Grauen überfiel, als er eine Mutter furchtlos zwischen den Fronten einhergehen sah, entschlossen ihr totes Kind an der Hand nachziehend, von dem sie sich auch bei gütlichstem Zureden nicht zu trennen gedachte.
Die Zeitung konnte auch dem Gespräch nicht zuhören, das zwischen dem Freund meines Vaters und einem Gefängnisgeistlichen in einem Kurort stattfand, in dem sich der Geistliche von einem Nervenzusammenbruch erholte. Er hatte täglich mehrere Todeskandidaten zum Schafott begleiten müssen.
Die Zeitung hatte auch nicht das fahle Gesicht jenes Häftlings gesehen, der nach der Verbüßung seiner Gefängnisstrafe zuerst strahlend an der Pforte erschien,

um seinen Entlassungsschein und seine kleinen Habseligkeiten in Empfang zu nehmen, statt dessen jedoch einen Einweisungsbefehl in ein Konzentrationslager erhielt.

Es erschien uns manchmal wie ein Wunder, daß es doch noch Frühling wurde. Der Frühling kam und brachte Blumen in die entleerte und rationierte Welt, er brachte Hoffnung, und die Kinder auf den Straßen spielten ihre uralten Spiele. Und in der Straßenbahn Münchens sangen ein paar Kinder unbekümmert: »Es geht alles vorüber, es geht alles vorbei – auch Adolf Hitler und seine Partei.« Sie waren auf ihre Art vogelfrei.

Die Erwachsenen aber, sie wagten kaum zu lachen, obwohl man ihnen ansah, welche Befreiung es für sie bedeutet hätte.

An einem Abend wartete Sophie auf Hans. Sie wohnten seit einiger Zeit zusammen in zwei großen Zimmern. Ihre Vermieterin war meist auf dem Land, weil sie sich vor den Bombern fürchtete, die Nacht für nacht über München kreisten. Sophie hatte von daheim ein Paket erhalten mit Äpfeln, Butter, einer großen Dose Marmelade, einem Riesenstück Kranzbrot und sogar Plätzchen. Welcher Reichtum in dieser ausgehungerten Zeit – das gemeinsame Abendbrot sollte diesmal ein Fest werden. Sophie wartete und wartete. Sie war fröhlich wie schon lange nicht mehr. Den Tisch hatte sie gedeckt, und das Teewasser fing an zu sprudeln.

Es war dunkel geworden. Und keine Spur von Hans.

Sophies freudige Erwartung wich einer steigenden Ungeduld. Sie hätte so gerne bei allen Freunden herumtelefoniert, um zu erfahren, wo er war. Aber das ging nicht. Vielleicht überwachte die Gestapo das Telefon. Sophie ging an ihren Schreibtisch. Sie wollte wenigstens versuchen, ein wenig zu zeichnen. Lange schon war sie nicht mehr dazu gekommen. Zum letztenmal mit Alex im vergangenen Sommer. Aber diese entsetzliche Zeit erstickte ja alles, was nicht bloßer Existenzkampf war. Ein Manuskript lag auf ihrem Tisch, ein Märchen, das sie sich früher als Kinder einmal ausgedacht hatten, und das nun ihre Schwester für sie aufgeschrieben hatte, weil Sophie so gerne ein richtiges Bilderbuch machen wollte. Ach nein, zeichnen konnte sie jetzt auch nicht, das Warten und die Sorge fraßen ihre Phantasie ganz auf. Warum kam Hans nicht?
Woran sie auch dachte, es gab keinen Ausweg. Die ganze Welt lag unter einem Nebel von Traurigkeit. Konnte je wieder die Sonne durchdringen? Das Gesicht der Mutter fiel ihr ein. Zuweilen hatte es einen Zug von Schmerz um die Augen und um den Mund, für den es keine Worte gab. Mein Gott – und so Tausende und aber Tausende von Müttern . . .
Damals schrieb Sophie in ihr kleines Tagebuch: »Viele Menschen glauben von unserer Zeit, daß sie die letzte sei. Alle die schrecklichen Zeichen könnten es glauben machen. Aber ist dieser Glaube nicht von nebensächlicher Bedeutung? Denn muß nicht jeder Mensch, einerlei in welcher Zeit er lebt, dauernd damit rechnen, im nächsten Augenblick von Gott zur Rechenschaft gezogen zu werden? Weiß ich denn, ob ich morgen

früh noch lebe? Eine Bombe könnte uns heute nacht alle vernichten. Und dann wäre meine Schuld nicht kleiner, als wenn ich mit der Erde und den Sternen zusammen untergehen würde. – Ich kann es nicht verstehen, wie heute ›fromme‹ Leute fürchten um die Existenz Gottes, weil die Menschen seine Spuren mit Schwert und schändlichen Taten verfolgen. Als habe Gott nicht die Macht (ich spüre, wie alles in seiner Hand liegt), die *Macht*. Fürchten bloß muß man um die Existenz der Menschen, weil sie sich von ihm abwenden, der ihr Leben ist.«

In diesen Wochen hatte die Schlacht um Stalingrad ihren Höhepunkt erreicht. Tausende junger Menschen waren in den erbarmungslosen Kessel des Todes getrieben und mußten erfrieren, verhungern, verbluten. Sophie sah die müden Gesichter der Menschen in den überfüllten Zügen vor sich, über schlafende blasse Kinder gebeugt, die aus dem Rheinland und den großen Städten des Nordens flohen . . . Baden und schlafen hatte Thomas von Aquin als Mittel gegen Traurigkeit empfohlen. Schlafen, ja, das wollte sie jetzt. Ganz, ganz tief. Wann hatte sie das letztemal richtig ausgeschlafen?

Sie erwachte an einem vergnügten, unterdrückten Lachen und an Schritten im Flur. Endlich war Hans zurück. »Wir haben eine großartige Überraschung für dich. Wenn du morgen durch die Ludwigstraße gehst, wirst du ungefähr siebzigmal die Worte ›Nieder mit Hitler‹ passieren müssen.« »Und mit Friedensfarbe, die kriegen sie so schnell nicht wieder runter«, sagte Alex, der schmunzelnd mit Hans ins Zimmer trat. Hinter ihm erschien Willi. Er stellte schweigend eine

Flasche Wein auf den Tisch. Nun konnte das Fest doch noch stattfinden. Und während die durchfrorenen Studenten sich wärmten, erzählten sie von dem kühnen Streich der Nacht.

Am andern Morgen ging Sophie ein wenig früher zur Universität als sonst. Sie machte einen Umweg und ging durch die ganze Ludwigstraße. Da stand es endlich, groß und deutlich: ›Nieder mit Hitler – Nieder mit Hitler . . .‹ Als sie zur Universität kam, sah sie über dem Eingang in derselben Farbe: ›Freiheit‹. Zwei Frauen waren mit Bürste und Sand beschäftigt, das Wort wieder auszutilgen. »Lassen Sie es stehen«, sagte Sophie, »das soll man doch lesen, dazu wurde es hingeschrieben.« Die Frauen sahen sie kopfschüttelnd an. »Nix verstehen.« Es waren zwei Russinnen, die man zur Zwangsarbeit nach Deutschland geholt hatte.

Während man wütend und mühsam die Ludwigstraße wieder von dem verirrten Freiheitsruf reinigte, war der Funken nach Berlin übergesprungen. Ein Medizinstudent, der mit Hans befreundet war, hatte es übernommen, dort ebenfalls eine Widerstandszelle zu gründen und die in München entworfenen Flugblätter zu vervielfältigen und weiterzuverbreiten.

Willi Graf hatte den Kontakt zu Freiburger Studenten hergestellt, die sich zum Handeln entschlossen hatten und bereit waren, mit dem Münchner Kreis zusammenzuarbeiten.

Später hatte eine Studentin, Traute Lafrenz, ein Flugblatt nach Hamburg gebracht, und auch dort fand sich ein kleiner Kreis von Studenten, die es aufgriffen und weiterverbreiteten.

So, dachten Hans und seine Freunde, sollte eine Zelle nach der andern in den großen Städten entstehen, von denen aus der Geist des Widerstandes sich nach allen Seiten verbreiten sollte.

Schon kurz nach der Rückkehr von der Ostfront, im November 1942, trafen sich Hans Scholl und Alexander Schmorell mit Falk Harnack, dem Bruder von Arvid Harnack von der Widerstandsorganisation Harnack/Schulze-Boysen, die einem Massaker des Volksgerichtshofs zum Opfer fiel. Bekannt geworden war diese Gruppe unter dem Suchnamen der Gestapo »Rote Kapelle«. Das Treffen der beiden mit Falk Harnack sollte die Verbindung zu den Zentralstellen der Widerstandsbewegung in Berlin einleiten. Dabei entwickelte Hans den Plan, an allen deutschen Universitäten illegale studentische Zellen zu errichten, die schlagartig übereinstimmende Flugblattaktionen ausführen sollten. Falk Harnack übernahm es, Hans und Alex am 25. Februar 1943 mit den Brüdern Klaus und Dietrich Bonhoeffer in Berlin zusammenzubringen. Aber Hans war zu diesem Termin schon tot, Alex auf der Flucht.

Noch immer versuchte man die Spuren der Straßenschriften auszumerzen; schließlich mußte man sie überkleben. Aber Professor Huber war schon dabei, ein neues Flugblatt zu entwerfen, das diesmal vor allem an die Studenten gerichtet sein sollte.
Während er und Hans noch mit den Gedanken dieses Blattes rangen, denen sie alle Trauer und Empörung

des unterdrückten Deutschland einhauchen wollten, erhielt Hans eine Warnung, daß die Gestapo ihm auf der Spur sei, und daß er in den nächsten Tagen mit seiner Verhaftung rechnen müsse. Hans war geneigt, diese undurchsichtige Information von sich zu schütteln. Vielleicht versuchten Menschen, die es gut mit ihm meinten, ihn auf diese Weise von seinem Tun abzubringen. Aber gerade die Halbheit und Undurchsichtigkeit der Sache stürzte ihn in brennende Zweifel.

Sollte er nicht dies ganze schwere Leben in Deutschland mit der ständigen Bedrohung hinter sich werfen und in ein freies Land, in die Schweiz, fliehen? Es sollte für ihn, den Bergkundigen und zähen Sportsmann, kein Problem sein, illegal über die Grenze zu entkommen. Hatte er nicht an der Front Situationen genug erlebt, in denen seine Kaltblütigkeit und seine Geistesgegenwart ihn gerettet hatten?

Was aber würde dann mit seinen Freunden, mit seinen Angehörigen geschehen? Seine Flucht würde sie sofort in Verdacht bringen, und dann könnte er von der freien Schweiz aus zusehen, wie sie vor den Volksgerichtshof und in die KZ's geschleppt wurden. Niemals könnte er das ertragen. Er war mit hundert Fäden hier verwoben, und das teuflische System war so gut eingerichtet, daß er hundert Menschenleben aufs Spiel setzte, wenn er selbst sich entzog. Er allein mußte die Verantwortung übernehmen. Er mußte hierbleiben, um den Ring des Unheils möglichst eng zu halten und, wenn es sich entladen sollte, das Ganze auf sich selbst zu nehmen.

In den folgenden Tagen ging Hans mit doppeltem

Eifer an die Arbeit. Nacht für Nacht verbrachte er mit seinen Freunden und Sophie im Keller des Ateliers am Vervielfältigungsapparat. Die Trauer und Erschütterung um Stalingrad durften nicht im grauen, gleichgültigen Trott des Alltags untergehen, ehe nicht ein Zeichen dafür gegeben war, daß die Deutschen nicht alle gewillt waren, diesen mörderischen Krieg blindlings hinzunehmen.

An einem sonnigen Donnerstag, es war der 18. Februar 1943, war die Arbeit so weit gediehen, daß Hans und Sophie, ehe sie zur Universität gingen, noch einen Koffer mit Flugblättern füllen konnten. Sie waren beide vergnügt und guten Muts, als sie sich mit dem Koffer auf den Weg zur Universität machten, obwohl Sophie in der Nacht einen Traum gehabt hatte, den sie nicht aus sich verjagen konnte: Die Gestapo war erschienen und hatte sie beide verhaftet.

Kaum hatten die Geschwister die Wohnung verlassen, klingelte Otl Aicher, ein Freund, an ihrer Tür, der ihnen eine dringende Warnung überbringen sollte. Da er aber nirgends erfahren konnte, wohin die beiden gegangen waren, wartete er. Von dieser Botschaft hing vielleicht alles ab.

Mittlerweile hatten die beiden die Universität erreicht. Und da in wenigen Minuten die Hörsäle sich öffnen sollten, legten sie rasch entschlossen die Flugblätter in den Gängen aus und leerten den Rest ihres Koffers vom zweiten Stock in die Eingangshalle der Universität hinab. Aber zwei Augen hatten sie erspäht. Sie hatten sich vom Herzen ihres Besitzers gelöst und waren zu automatischen Linsen der Diktatur geworden. Es waren die Augen des Hausmeisters.

Alle Türen der Universität wurden sofort geschlossen. Damit war das Schicksal der beiden besiegelt. Die rasch alarmierte Gestapo brachte meine Geschwister in ihr Gefängnis, das berüchtigte Wittelsbacher Palais. Und nun begannen die Verhöre. Tage und Nächte, Stunden um Stunden. Abgeschnitten von der Welt, ohne Verbindung mit den Freunden und im ungewissen, ob einer von ihnen ihr Schicksal teilte. Durch eine Mitgefangene erfuhr Sophie, daß Christl Probst etliche Stunden nach ihnen ›eingeliefert‹ worden war. Zum erstenmal verlor sie ihre Fassung, und eine wilde Verzweiflung wollte sie übermannen. Christl, gerade Christl, den sie so sorgsam geschont hatten, weil er Vater von drei kleinen Kinder war. Und Herta, seine Frau, lag in diesen Tagen mit dem Jüngsten im Wochenbett. Sophie sah Christl vor sich, wie sie ihn mit Hans an einem sonnigen Septembertag besucht hatte, in seinem kleinen Heim in den oberbayrischen Bergen. Den zweijährigen Sohn hatte er im Arm gehabt und wie verzaubert in das friedliche Kindergesicht geblickt. Seine Frau konnte kaum mehr an eine Geborgenheit in den eigenen vier Wänden glauben. Denn vor Jahren hatten ihre beiden Brüder bei Nacht und Nebel vor der Gestapo fliehen müssen, und niemand wußte genau, ob sie noch lebten. Aber wenn es noch einen Funken Rechtlichkeit in diesem Staate gab, dachte Sophie verzweifelt, dann konnte und durfte Christl nichts geschehen.

Alle, die in jenen Tagen noch mit ihnen in Berührung kamen, die Mitgefangenen, die Gefängnisgeistlichen,

die Gefangenenwärter, ja selbst die Gestapobeamten, waren von ihrer Tapferkeit und von der Noblesse ihrer Haltung aufs stärkste betroffen. Ihre Gelassenheit und Ruhe standen in merkwürdigem Kontrast zu der hektischen Spannung, die das Gestapogebäude beherrschte. Ihre Aktion hatte bis in die höchsten Stellen von Partei und Regierung hinein große Beunruhigung hervorgerufen. Ein lautloser Triumph der ohnmächtigen Gerechtigkeit, der Freiheit in Fesseln über Brutalität und Rechtlosigkeit schien sich hier zu vollziehen, und die Nachricht davon lief wie ein Vorfrühlingswind durch die Gefängnisse und KZ's. Manche, die ihnen im Gefängnis begegneten, haben uns über die letzten Tage und Stunden vor ihrem Tod berichtet.
Diese vielen kleinen Berichte, sie fügten sich wie winzige Magnete zusammen zu einem Ganzen, zu einigen Tagen starken Lebens. Es war, als wollten sich in diesen Tagen viele ungelebte Jahre zu einer verdichteten Daseinskraft zusammendrängen.
Nach dem Tod meiner Geschwister wurden meine Eltern, meine Schwester Elisabeth und ich in »Sippenhaft« genommen. Im Gefängnis, in den endlos sich hinziehenden Stunden des Schmerzes, dachte ich über den Weg von Hans und Sophie nach und versuchte durch das Filter der Trauer hindurch den Sinn ihres Handelns zu begreifen.
Am zweiten Tag nach ihrer Verhaftung war ihnen klar geworden, daß sie mit dem Todesurteil zu rechnen hatten. Zunächst, bis unter der Last des Beweismaterials alle ihre Verschleierungsversuche sinnlos geworden waren, hatten sie durchaus einen anderen Weg gesehen und *gewollt*: zu überleben und nach dem Ende

der Gewaltherrschaft an einem neuen Leben mitzuwirken. Noch wenige Wochen zuvor hatte Hans mit Bestimmtheit erklärt – vielleicht angesichts der zahlreichen Todesurteile, die damals gefällt wurden: »Dies muß unter allen Umständen vermieden werden. Wir müssen leben, um nachher da zu sein, weil man uns braucht. Gefängnis und KZ – meinetwegen. Das kann man überstehen. Aber nicht das Leben riskieren.«
Nun aber hatte sich die Situation jäh geändert. Nun gab es kein Zurück mehr. Jetzt war nur noch eines möglich: mit Umsicht und Nüchternheit dafür zu sorgen, daß möglichst wenig andere hineingezogen wurden. Und mit aller Deutlichkeit noch einmal zu verkörpern, was man hatte verteidigen und hochhalten wollen: den unabhängigen, freien, vom Geist geprägten Menschen . . .
Es herrschte zwischen ihnen, obwohl sie keine Verbindung miteinander hatten, ein starkes Einvernehmen: alle ›Schuld‹, alles, alles auf sich zu nehmen, um die anderen zu entlasten. Bei der Gestapo rieb man sich die Hände über die reichhaltigen Geständnisse. Angestrengt tasteten die Geschwister ihre Erinnerung nach den ›Verbrechen‹ ab, die sie sich zur Last legen könnten. Es war wie ein großer Wettkampf um das Leben der Freunde. Und nach jedem gelungenen Verhör kehrten sie in ihre Zellen zurück, nicht selten mit einem Anflug von Genugtuung.
So müssen sie sich in jenen Tagen in einem Raum des Daseins befunden haben, der sich jenseits der hier Lebenden, aber auch losgelöst vom Tod befand, dem Leben tief verbunden. – Beinahe lächerlich und abgeschmackt mußten die Maßnahmen der Polizei auf sie

wirken, sie vor Selbstmordversuchen zu bewahren. Keine Klinge, kein Gegenstand durfte in der Zelle sein, selbst das Alleinsein wurde nicht gewährt, immer mußte ein Mitgefangener ihnen nahe sein, damit sie ja ihr Leben nicht selbst auslöschten. Tag und Nacht brannte helles Licht in den Zellen der Todeskandidaten.

Schwere Stunden der Verantwortung und Sorge kamen, vor allem für Hans. Würden die Vernehmungen weiterhin so verlaufen, wie es notwendig war? Würde er stets die Geistesgegenwart zur richtigen Antwort bewahren, damit nicht ein Name, ein verdächtiger Hinweis entschlüpfte? Mit hellwachem Interesse beteiligten sie sich an ihren Vernehmungen. In den kurzen Pausen, die ihnen dazwischen vergönnt waren, konnte Hans, nach den Berichten seiner Mitgefangenen, von einer gelösten Fröhlichkeit sein. Dann aber folgten wieder schwere Stunden, die Sorge um die Freunde, der Schmerz, den Angehörigen solchen Abschied zumuten zu müssen.

Schließlich kam der letzte Morgen. Hans trug seinem Zellengenossen noch Grüße an die Eltern auf. Dann gab er ihm die Hand, gütig und beinahe feierlich: »Wir wollen uns jetzt verabschieden, solange wir noch allein sind.« Darauf drehte er sich stumm zur Wand und schrieb etwas an die weiße Gefängnismauer. Eine große Stille war in der Zelle. Kaum hatte er den Bleistift aus der Hand gelegt, rasselten die Schlüssel, und die Wachtmeister kamen, legten ihm Fesseln an und führten ihn zur Gerichtsverhandlung. Zurück blieben die Worte an der weißen Wand, Goetheworte, die sein Vater oft bei nachdenklichem Auf- und Abgehen vor

sich hingemurmelt hatte, und über deren Pathos Hans hatte manchmal lächeln müssen: »Allen Gewalten zum Trutz sich erhalten«.
Die Möglichkeit, sich einen Anwalt zu wählen, gab es für sie nicht. Es wurde zwar ein Pflichtverteidiger herzitiert. Dieser war jedoch nicht viel mehr als eine ohnmächtige Marionettenfigur. Von ihm war nicht die geringste Hilfe zu erwarten. »Wenn mein Bruder zum Tode verurteilt wird, so darf ich keine mildere Strafe bekommen, denn ich bin genauso schuldig wie er«, erklärte Sophie ihm gelassen. Mit allen ihren Kräften und Gedanken war sie in diesen Tagen bei ihrem Bruder, um den sie sich oft große Sorge machte, weil sie die Last ahnte, die auf ihm lag. Sie wollte von dem Verteidiger wissen, ob Hans als Frontsoldat das Recht auf den Erschießungstod habe. Darauf erhielt sie nur eine unsichere Antwort. Über ihre weitere Frage, ob sie selbst öffentlich erhängt oder durch das Fallbeil getötet werde, war er geradezu entsetzt. Derartiges, noch dazu von einem Mädchen gefragt, hatte er nicht erwartet.
Sophie hatte in diesen letzten Nächten, sofern sie nicht vernommen wurde, den festen Schlaf eines Kindes. Ein einziges Mal ergriff sie eine tiefe Erregung: in dem Augenblick, als ihr die Anklageschrift ausgehändigt wurde. Nachdem sie diese gelesen hatte, atmete sie auf. »Gott sei Dank«, war alles, was sie sagte.
Dann streckte sie sich auf ihr Lager hin und stellte mit leiser, ruhiger Stimme Betrachtungen über ihren Tod an. »So ein herrlicher, sonniger Tag, und ich soll gehen. Aber wieviele müssen heutzutage auf den

Schlachtfeldern sterben, wieviel junges, hoffnungsvolles Leben ... Was liegt an meinem Tod, wenn durch unser Handeln Tausende von Menschen aufgerüttelt und geweckt werden.« Es ist Sonntag, und draußen gehen ahnungslos ungezählte Menschen an den Gittern vorüber, die ersten Strahlen der Frühlingssonne genießend.

Als Sophie nach ihrer letzten Nacht geweckt wird, erzählt sie, noch auf ihrem Lager sitzend, ihren Traum: »Ich trug an einem sonnigen Tag ein Kind in langem weißen Kleid zur Taufe. Der Weg zur Kirche führte einen steilen Berg hinauf. Aber fest und sicher trug ich das Kind in meinen Armen. Da plötzlich war vor mir eine Gletscherspalte. Ich hatte gerade noch soviel Zeit, das Kind sicher auf der anderen Seite niederzulegen – dann stürzte ich in die Tiefe.« Sie versucht ihrer Mitgefangenen gleich den Sinn dieses einfachen Traumes zu erklären. »Das Kind ist unsere Idee, sie wird sich trotz aller Hindernisse durchsetzen. Wir durften Wegbereiter sein, müssen aber zuvor für sie sterben.«

Nach kurzer Zeit ist auch ihre Zelle leer, zurück bleibt die Anklageschrift, auf deren Rückseite mit leichter Hand das Wort Freiheit geschrieben ist.

Meine Eltern hatten am Freitag, einen Tag nach der Verhaftung meiner Geschwister Nachricht davon erhalten, zuerst durch eine Studentin, mit der wir befreundet waren, später noch durch einen Telefonanruf eines unbekannten Studenten, der schon sehr traurig und dunkel klang. Sie beschlossen sofort, die Verhaf-

teten zu besuchen und alles zu unternehmen, was in ihren Kräften stand, um ihr Los zu erleichtern.
Aber was konnten sie schon tun in ihrer Ohnmacht? In einer solchen Stunde der Not und Entscheidung glaubt man, Mauern zerbrechen zu müssen. Da das Wochenende dazwischenlag, an dem im Gefängnis keine Besuche erlaubt waren, fuhren sie mit meinem jüngsten Bruder Werner, der unverhofft zwei Tage zuvor aus Rußland auf Urlaub gekommen war, am Montag nach München. Dort wartete am Bahnsteig schon in höchster Erregung Jürgen Wittenstein, der Student, der sie von der Verhaftung telefonisch unterrichtet hatte, und sagte: »Es ist höchste Zeit. Der Volksgerichtshof tagt, und die Verhandlung ist bereits in vollem Gang. Wir müssen uns auf das Schlimmste gefaßt machen.« Dieses Tempo hatte niemand erwartet, und erst später erfuhren wir, daß es sich um ein ›Schnellverfahren‹ handelte, weil die Richter mit dem raschen und schreckensvollen Ende dieser Menschen ein Exempel statuieren wollten. Meine Mutter fragte den Studenten: »Werden sie sterben müssen?« Der nickte verzweifelt und konnte seine Erregung kaum mehr beherrschen. »Hätte ich einen einzigen Panzer«, rief er in ohnmächtigem Schmerz, »und eine Handvoll Leute – ich könnte sie noch befreien, ich würde die Verhandlung sprengen und sie an die Grenze bringen.« Sie eilten zum Justizpalast und drangen in den Verhandlungssaal ein, der voller geladener Nazigäste war. In roter Robe saßen da die Richter, in ihrer Mitte Freisler, tobend vor Wut.
Still und aufrecht und sehr einsam saßen ihnen die drei jungen Angeklagten gegenüber. Frei und überlegen

gaben sie ihre Antworten. Sophie sagte einmal (sie sagte sehr, sehr wenig sonst): »Was wir sagten und schrieben, denken ja so viele. Nur wagen sie nicht, es auszusprechen.« Die Haltung und das Benehmen der drei Angeklagten war von solchem Adel, daß sie selbst die feindselige Zuschauermenge in ihren Bann schlugen.

Als meine Eltern eindrangen, war der Prozeß schon nahe dem Ende. Sie konnten gerade noch die Todesurteile anhören. Meine Mutter verlor einen Augenblick die Kräfte, sie mußte hinausgeführt werden, und eine Unruhe entstand im Saal, weil mein Vater rief: »Es gibt noch eine andere Gerechtigkeit.« Aber dann hatte sich meine Mutter rasch wieder in der Gewalt, denn nachher war ihr ganzes Sinnen und Denken nur noch darauf gerichtet, ein Gnadengesuch aufzusetzen und ihre Kinder zu sehen. Sie war wunderbar gefaßt, geistesgegenwärtig und tapfer, ein Trost für alle anderen, die sie hätten trösten müssen. Mein jüngster Bruder drängte sich nach der Verhandlung rasch vor zu den dreien und drückte ihnen die Hand. Als ihm dabei die Tränen in die Augen traten, legte Hans ruhig die Hand auf seine Schulter und sagte: »Bleib stark – keine Zugeständnisse.« Ja, keine Zugeständnisse, weder im Leben noch im Sterben. Sie hatten nicht versucht, sich zu retten, indem sie den Richtern einwandfreie nationalsozialistische Gesinnung vorzuspiegeln versuchten. Nichts dergleichen kam über ihre Lippen. Wer nur eine einzige solche politische Verhandlung während des Dritten Reiches erlebt hat, der weiß, was das bedeutet. Im Angesicht des Todes oder des Kerkers – wer wollte darüber ein abschätziges Wort verlieren –,

im Angesicht dieser teuflischen Richter versuchten viele ihre wahre Gesinnung zu verbergen, um ihres Lebens und der Zukunft willen.
Jedem von den dreien war, wie üblich, zum Schluß noch das Wort erteilt worden, um für sich zu sprechen. Sophie schwieg. Christl bat um sein Leben um seiner Kinder willen. Und Hans versuchte, dies zu unterstützen und auch ein Wort für seinen Freund einzulegen. Da wurde es ihm von Freisler grob abgeschnitten: »Wenn Sie für sich selbst nichts vorzubringen haben, schweigen Sie gefälligst.«

An die Stunden, die nun folgten, werden Worte wohl nie ganz herankommen können.
Die drei wurden in das große Vollstreckungsgefängnis München-Stadelheim überführt, das neben dem Friedhof am Rand des Perlacher Forstes liegt.
Dort schrieben sie ihre Abschiedsbriefe. Sophie bat darum, noch einmal ihren Vernehmungsbeamten von der Gestapo sprechen zu dürfen. Sie habe noch eine Aussage zu machen. Es war ihr etwas eingefallen, das einen ihrer Freunde entlasten konnte.
Christl, der konfessionslos aufgewachsen war, verlangte einen katholischen Geistlichen. Er wollte die Taufe empfangen, nachdem er sich schon lange innerlich dem katholischen Glauben zugewandt hatte. In einem Brief an seine Mutter heißt es: »Ich danke Dir, daß Du mir das Leben gegeben hast. Wenn ich es recht bedenke, war es ein einziger Weg zu Gott. Ich gehe Euch jetzt einen Sprung voraus, um Euch einen herrlichen Empfang zu bereiten ...«

Inzwischen war es meinen Eltern wie durch ein Wunder gelungen, ihre Kinder noch einmal zu besuchen. Eine solche Erlaubnis war fast unmöglich zu erhalten. Zwischen 16 und 17 Uhr eilten sie zum Gefängnis. Sie wußten noch nicht, daß dies endgültig die letzte Stunde ihrer Kinder war.

Zuerst wurde ihnen Hans zugeführt. Er trug Sträflingskleider. Aber sein Gang war leicht und aufrecht, und nichts Äußeres konnte seinem Wesen Abbruch tun. Sein Gesicht war schmal und abgezehrt, wie nach einem schweren Kampf. Er neigte sich liebevoll über die trennende Schranke und gab jedem die Hand. »Ich habe keinen Haß, ich habe alles, alles unter mir.« Mein Vater schloß ihn in die Arme und sagte: »Ihr werdet in die Geschichte eingehen, es gibt noch eine Gerechtigkeit.« Darauf trug Hans Grüße an alle seine Freunde auf. Als er zum Schluß noch den Namen eines Mädchens nannte, sprang eine Träne über sein Gesicht, und er beugte sich über die Barriere, damit niemand sie sehe. Dann ging er, ohne die leiseste Angst, und von einem tiefen Enthusiasmus erfüllt.

Darauf wurde Sophie von einer Wachtmeisterin herbeigeführt. Sie trug ihre eigenen Kleider und ging langsam und gelassen und sehr aufrecht. (Nirgends lernt man so aufrecht gehen wie im Gefängnis.) Sie lächelte, als schaue sie in die Sonne. Bereitwillig und heiter nahm sie die Süßigkeiten, die Hans abgelehnt hatte: »Ach ja, gerne, ich habe ja noch gar nicht Mittag gegessen.« Es war eine ungewöhnliche Lebensbejahung bis zum Schluß, bis zum letzten Augenblick. Auch sie war um einen Schein schmaler geworden, aber ihre Haut war blühend und frisch – das fiel der

Mutter auf wie noch nie –, und ihre Lippen waren tiefrot und leuchtend. »Nun wirst du also gar nie mehr zur Türe hereinkommen«, sagte die Mutter. »Ach, die paar Jährchen, Mutter«, gab sie zur Antwort. Dann betonte auch sie, wie Hans, fest und überzeugt: »Wir haben alles, alles auf uns genommen«; und sie fügte hinzu: »Das wird Wellen schlagen.«
Das war in diesen Tagen ihr großer Kummer gewesen, ob die Mutter den Tod gleich zweier Kinder ertragen würde. Aber nun, da sie so tapfer und gut bei ihr stand, war Sophie wie erlöst. Noch einmal sagte die Mutter: »Gelt, Sophie: Jesus.« Ernst, fest und fast befehlend gab Sophie zurück: »Ja, aber du auch.« Dann ging auch sie – frei, furchtlos, gelassen. Mit einem Lächeln im Gesicht.
Christl konnte niemanden von seinen Angehörigen mehr sehen. Seine Frau lag im Wochenbett mit dem dritten Kind, seinem ersten Töchterchen. Sie erfuhr von dem Schicksal ihres Mannes erst, als er nicht mehr lebte.
Die Gefangenenwärter berichteten: »Sie haben sich so fabelhaft tapfer benommen. Das ganze Gefängnis war davon beeindruckt. Deshalb haben wir das Risiko auf uns genommen – wäre es rausgekommen, hätte es schwere Folgen für uns gehabt –, die drei noch einmal zusammenzuführen, einen Augenblick vor der Hinrichtung. Wir wollten, daß sie noch eine Zigarette miteinander rauchen konnten. Es waren nur ein paar Minuten, aber ich glaube, es hat viel für sie bedeutet. ›Ich wußte nicht, daß Sterben so leicht sein kann‹, sagte Christl Probst. Und dann: ›In wenigen Minuten sehen wir uns in der Ewigkeit wieder.‹

Dann wurden sie abgeführt, zuerst das Mädchen. Sie ging, ohne mit der Wimper zu zucken. Wir konnten alle nicht begreifen, daß so etwas möglich war. Der Scharfrichter sagte, so habe er noch niemanden sterben sehen.«

Und Hans, ehe er sein Haupt auf den Block legte, rief laut, daß es durch das große Gefängnis hallte: »Es lebe die Freiheit.«

Zunächst schien es, als sei mit dem Tod dieser drei alles abgeschlossen. Sie verschwanden still und beinahe heimlich in der Erde des Perlacher Friedhofs, während eine strahlende Vorfrühlingssonne sich zum Untergehen neigte. »Niemand hat größere Liebe denn die, daß er sein Leben lässet für seine Freunde«, sagte der Gefängnisgeistliche, der sich als einer der Ihrigen zu ihnen bekannt und sie voller Verständnis betreut hatte. Er gab uns die Hand und wies auf die untergehende Sonne. Und er sagte: »Sie geht auch wieder auf.«

Nach kurzer Zeit jedoch erfolgte aufs neue Verhaftung auf Verhaftung. Und in einem zweiten Prozeß – wir erfuhren es an einem Karfreitag im Gefängnis – wurden neben einer Reihe von Freiheitsstrafen drei weitere Todesurteile durch den Volksgerichtshof gefällt: über Professor Huber, Willi Graf und Alexander Schmorell.

In Notizen von Professor Huber, der auch in Haft, vor und nach der Verurteilung, unermüdlich an seinem wissenschaftlichen Werk arbeitete, fand sich der folgende Entwurf für das ›Schlußwort des Angeklagten‹.

Es sind Worte, die, wie berichtet wird, mindestens ihrem Sinn nach, vor dem ›Volksgericht‹ wiederholt wurden: »Als deutscher Staatsbürger, als deutscher Hochschullehrer und als politischer Mensch erachte ich es als Recht nicht nur, sondern als sittliche Pflicht, an der Gestaltung der deutschen Geschicke mitzuarbeiten, offenkundige Schäden aufzudecken und zu bekämpfen . . .
Was ich bezweckte, war die Weckung der studentischen Kreise, nicht durch eine Organisation, sondern durch das schlichte Wort, nicht zu einem Akt der Gewalt, sondern zur sittlichen Einsicht in bestehende schwere Schäden des politischen Lebens. Rückkehr zu klaren, sittlichen Grundsätzen, zum Rechtsstaat, zu gegenseitigem Vertrauen von Mensch zu Mensch, das ist nicht illegal, sondern umgekehrt die Wiederherstellung der Legalität. Ich habe mich im Sinne von Kants kategorischem Imperativ gefragt, was geschähe, wenn diese subjektive Maxime meines Handelns ein allgemeines Gesetz würde. Darauf kann es nur eine Antwort geben: Dann würden Ordnung, Sicherheit, Vertrauen in unser Staatswesen, in unser politisches Leben zurückkehren. Jeder sittlich Verantwortliche würde mit uns seine Stimme erheben gegen die drohende Herrschaft der bloßen Macht über das Recht, der bloßen Willkür über den Willen des sittlich Guten. Die Forderung der freien Selbstbestimmung auch des kleinsten Volksteils ist in ganz Europa vergewaltigt, nicht minder die Forderung der Wahrung der rassischen und völkischen Eigenart. Die grundlegende Forderung wahrer Volksgemeinschaft ist durch die systematische Untergrabung des Vertrauens von

Kurt Huber, München, geboren am 24. 10. 1893,
Professor für Psychologie und Philosophie,
hingerichtet am 13. 7. 1943

Mensch zu Mensch zunichte gemacht. Es gibt kein furchtbareres Urteil über eine Volksgemeinschaft als das Eingeständnis, das wir alle machen müssen, daß keiner sich vor seinem Nachbarn, der Vater nicht mehr vor seinen Söhnen sicher fühlt.
Das war es, was ich wollte, mußte.
Es gibt für alle äußere Legalität eine letzte Grenze, wo sie unwahrhaftig und unsittlich wird. Dann nämlich, wenn sie zum Deckmantel einer Feigheit wird, die sich nicht getraut, gegen offenkundige Rechtsverletzung aufzutreten. Ein Staat, der jegliche freie Meinungsäußerung unterbindet und jede, aber auch jede sittlich berechtigte Kritik, jeden Verbesserungsvorschlag als ›Vorbereitung zum Hochverrat‹ unter die furchtbarsten Strafen stellt, bricht ein ungeschriebenes Recht, das ›im gesunden Volksempfinden‹ noch immer lebendig war und lebendig bleiben muß.«
So ungefähr müssen die Ausführungen geendet haben: »Ich habe das eine Ziel erreicht, diese Warnung und Mahnung nicht in einem privaten, kleinen Diskutierklub, sondern an verantwortlicher, an höchster richterlicher Stelle vorzubringen. Ich setze für diese Mahnung, für diese beschwörende Bitte zur Rückkehr, mein Leben ein. Ich fordere die Freiheit für unser deutsches Volk zurück. Wir wollen nicht an Sklavenketten unser kurzes Leben dahinfristen, und wären es goldene Ketten eines materiellen Überflusses.
Sie haben mir den Rang und die Rechte des Professors und den ›summa cum laude‹ erarbeiteten Doktorhut genommen und mich dem niedrigsten Verbrecher gleichgestellt. Die innere Würde des Hochschullehrers, des offenen, mutigen Bekenners seiner Welt- und

Staatsanschauung, kann mir kein Hochverratsverfahren rauben. Mein Handeln und Wollen wird der eherne Gang der Geschichte rechtfertigen; darauf vertraue ich felsenfest. Ich hoffe zu Gott, daß die geistigen Kräfte, die es rechtfertigen, rechtzeitig aus meinem eigenen Volke sich entbinden mögen. Ich habe gehandelt, wie ich aus einer inneren Stimme heraus handeln mußte. Ich nehme die Folgen auf mich nach dem schönen Wort Johann Gottlieb Fichtes:

Und handeln sollst du so, als hinge
Von dir und deinem Tun allein
Das Schicksal ab der deutschen Dinge,
Und die Verantwortung wär' dein.«

Man hörte damals, daß in der Folge etwa 80 Personen in München und anderen süd- und westdeutschen Städten verhaftet worden waren. Darunter wurden auch die meist völlig ahnungslosen Angehörigen in ›Sippenhaft‹ genommen. »Für den Verräter haftet die Sippe«, hieß die Anweisung der damaligen Justiz, die dazu angetan war, jede Bereitschaft zu eigener Aktivität im Keim zu ersticken.

Im zweiten Prozeß am 19. April 1943, bei dem Professor Kurt Huber, Willi Graf und Alexander Schmorell zum Tode verurteilt wurden, standen elf weitere Angeklagte vor Gericht. Drei Oberschüler, Hans Hirzel, Heinrich Guter und Franz Müller erhielten Freiheitsstrafen bis zu fünf Jahren. Die Studentinnen Traute Lafrenz, Gisela Schertling und Karin Schüddekopf aus dem Kreis der Freunde meiner Geschwister wurden zu je einem Jahr, Susanne Hirzel zu einem halben Jahr Gefängnis verurteilt. Hohe Zuchthausstrafen bis zu lebenslänglicher Haft wurden über den Medizinstudenten Helmut Bauer, den Assistenten Dr. Heinrich Bollinger und Eugen Grimminger verhängt. Grimminger war damals Wirtschaftsberater in Stuttgart gewesen, ein Jugendfreund des Vaters Scholl. Er hatte tagtäglich in beispielhafter Weise den passiven Widerstand verwirklicht, insbesondere in seiner selbstverständlichen Hilfsbereitschaft gegenüber Unterdrückten und Verfemten. Die Münchner Aktion hatte er durch finanzielle Mittel unterstützt. Seine Frau Jenny Grimminger kam später ebenfalls in Haft und wurde im Dezember 1943 in Auschwitz umgebracht. Bauer und Bollinger gehörten zu dem Freundeskreis Willi Grafs,

der sich schon seit Jahren in heftiger Ablehnung gegen den Nationalsozialismus befand. Von Bollinger wissen wir, daß er dabei war, Ansätze zum aktiven Widerstand vorzubereiten, indem er ein kleines Waffendepot anlegte.
Es ist bezeichnend, daß kaum ein Wort in der damaligen deutschen Öffentlichkeit über diese großen und erregenden Prozesse erschien. Eine karge Nachricht von etwa 30 Zeilen im ›Völkischen Beobachter‹ zum Zweck der Bagatellisierung erschien unter dem Titel »Gerechte Strafen gegen Verräter an der kämpfenden Nation«. Trotzdem verbreitete sich die Nachricht über die Münchner Ereignisse wie ein Lauffeuer bis an die fernsten Fronten in Rußland. Sie ging wie eine Welle der Erleichterung durch Konzentrationslager, Gefängnisse und Ghettos. Endlich hatten einige Menschen es ausgesprochen, was so bedrückend auf Millionen lag. Was ein anderer Widerstandskämpfer, Helmuth von Moltke, später einmal gefordert hatte (»Macht eine Legende aus uns«), hatte sich in wenigen Wochen gebildet. Anders freilich als in einer Welt, in der Presse und Fernsehen ein unmittelbares und wiederholtes Echo geben, vielleicht aber in einer intensiveren Wirksamkeit. Untergrund hat seine eigenen Gesetze.
Am 13. Juli 1943, merkwürdigerweise am Hinrichtungstag von Professor Huber und Alexander Schmorell, folgte ein dritter Prozeß im Zusammenhang mit der Aktion der Münchner Studenten. Vier ältere Freunde des Kreises wurden in München vor ein Sondergericht gestellt: der Buchhändler Josef Söhngen, der bei den Flugblattaktionen begrenzte, aber wich-

tige Hilfestellung leistete, Harald Dohrn, der Schwiegervater von Christoph Probst, der Kunstmaler Wilhelm Geyer und der Architekt und Maler Manfred Eickemeyer, der ihnen sein Atelier für ihre Zusammenkünfte und ihre Arbeit zur Verfügung gestellt hatte. Sie erhielten zwischen drei und sechs Monaten Gefängnis.

Die letzten Todesopfer des Münchner Kreises waren Harald Dohrn und sein Schwager Hans Quecke. Nachdem die ›Freiheitsaktion‹, die in den letzten Kriegswochen des Frühjahres 1945 unter Führung von Rechtsanwalt Dr. Gerngroß in Erscheinung trat, die Besetzung des Münchner Rundfunks durch die Widerstandsleute bekannt gegeben hatte, versuchten die beiden, ihre Mitarbeit in den Dienst der ›Freiheitsaktion‹ zu stellen. Sie wurden dabei entdeckt und in einem Wald nahe bei München von SS-Leuten erschossen. Nur einige hundert Meter von den Gräbern der ersten Opfer Sophie und Hans Scholl und Christoph Probst findet man sie begraben.

Im Sommer 1943, vor allem aber im Spätherbst und im Dezember 1943 wurde ein weiterer Komplex eines Widerstandskreises aufgedeckt, der später unter dem Namen ›Hamburger Zweig der Weißen Rose‹ in die Geschichte des Deutschen Widerstandes eingegangen ist. Es war, ähnlich wie in München, ein Kreis von Studenten und Intellektuellen, der nach Angaben Überlebender etwa 50 Personen umfaßt haben muß. Acht Menschen, die den aktiven Kern dieses Kreises bildeten, im wesentlichen Studenten, oder die ihn auch nur tangierten, fanden dabei den Tod:

Hans Konrad Leipelt, stud. rer. nat.	geboren am 18. 7. 1920 enthauptet am 29. 1. 1945 im Gefängnis München- Stadelheim
Greta Rothe, cand. med.	geboren am 13. 6. 1919 umgekommen am 15. 4. 1945 im Gefängnis Leipzig-Moisdorf
Reinhold Meyer, stud. phil.	geboren am 18. 7. 1920 umgekommen am 12. 11. 1944 im Gefängnis Hamburg-Fuhlsbüttel
Frederick Geussenhainer, cand. med.	geboren am 24. 4. 1912 umgekommen im April 1945 im KZ Mauthausen
Kaethe Leipelt, Mutter von Hans Konrad, Dr. rer. nat.	geboren am 28. 5. 1893 in den Tod getrieben am 9. 1. 1944 im Gefängnis Hamburg-Fuhlsbüttel
Elisabeth Lange	geboren am 7. 7. 1900 in den Tod getrieben am 28. 1. 1944 im Gefängnis Hamburg-Fuhlsbüttel
Curt Ledien, Dr. jur.	geboren am 5. 6. 1893 gehenkt am 23. 4. 1945 im KZ Neuengamme
Margarethe Mrosek	geboren am 14. 12. 1915 gehenkt am 21. 4. 1945 im KZ Neuengamme

In einem Bericht von Ilse Jacob wird die Hamburger Gruppe in folgender Weise dargestellt: »Der Hamburger Kreis ›Weiße Rose‹ hatte sich unter der Wirkung der ersten Münchner Flugblätter zusammengefunden. Die einzelnen Mitglieder kannten sich nur zum Teil, häufig trafen sie sich erst im Gefängnis oder im Konzentrationslager. Die Bemühungen, die Arbeit der einzelnen Kreise innerhalb der Hamburger Gruppe zu koordinieren, gingen vor allem von Albert Suhr und Heinz Kucharski aus, die zum Beispiel auch geplant hatten, einen Sender einzurichten. Die Mitglieder des Kreises trafen sich regelmäßig zu Diskussionsabenden in zwei Hamburger Buchhandlungen, vor allem bei der des bekannten Buchhändlers Felix Jud.
In der Hamburger Gruppe gab es einige Siebzehnjährige, die noch zur Schule gingen oder im Arbeits- oder Kriegshilfsdienst standen. Sie waren durch nationalsozialistische Schulen und Jugendorganisationen erzogen worden. Ihr Widerstand begann, wie Thorsten Müller, einer von ihnen schreibt, mit dem Widerspruch. Sie gingen ihren Neigungen und Interessen nach und dachten oder taten Dinge, die in Cambridge und Basel das Selbstverständlichste von der Welt gewesen wären – in Deutschland wurden sie zu einem ›hochpolitischen Konflikt, zu einer von Geheimer Staatspolizei und Volksgerichtshof mit Eifer bearbeiteten Hochverratssache‹.«
In einem 1969 erschienenen Buch von Ursel Hochmuth/Gertrud Meyer unter dem Titel ›Streiflichter aus dem Hamburger Widerstand 1933-1945‹ wird der Hamburger Zweig der ›Weißen Rose‹ eingehend behandelt.

Die Verbindung zwischen dem Münchner und dem Hamburger Kreis hatte sich durch die Hamburger Medizinstudentin Traute Lafrenz ergeben, die seit 1941 in München studierte und mit Alexander Schmorell und Hans und Sophie Scholl eng befreundet war. Sie übergab die im Sommer 1942 entstandenen Flugblätter der ›Weißen Rose‹ im Herbst ihren Hamburger Kommilitonen Greta Rothe, Heinz Kucharski und Karl Ludwig Schneider. Kurze Zeit nach der Eliminierung des Münchner Kreises durch die Prozesse im Februar, April und Juni 1943, bei denen auch Traute Lafrenz ins Gefängnis geriet, sorgte der Chemiestudent Hans Konrad Leipelt dafür, daß die Flugblätter der ›Weißen Rose‹ weitere Verbreitung fanden. Außerdem organisierte er eine Solidaritäts- und Hilfsaktion für die mittellose Witwe Professor Hubers und ihre beiden Kinder, denen der NS-Staat die Pension verweigerte.
Der aus Hamburg kommende Hans Konrad Leipelt war schon im Winter 1941 nach München übersiedelt, um dort sein Chemiestudium fortzusetzen. Das dortige Chemische Institut der Universität unter Leitung von Geheimrat Professor Dr. Heinrich Wieland galt als eine Zufluchtsstätte für Gegner und Verfolgte des Regimes. Im Institut dieses noblen und furchtlosen Wissenschaftlers wurden immer wieder nach den NS-Rasse-Gesetzen ›nicht arische‹ Studentinnen und Studenten aufgenommen und damit vor Zwangsarbeit und Schlimmerem bewahrt.
Soviel bekannt ist, hat Leipelt keinen direkten Kontakt mit dem Kreis meiner Geschwister in München gehabt. Man darf ihn aber wohl, nachdem Traute Laf-

renz von der Gestapo kaltgestellt worden war, als das spätere zentrale Verbindungsglied zwischen dem Hamburger und dem Münchner studentischen Widerstand bezeichnen. Auch in Hamburg wurden nun die Flugblätter weiterverbreitet und Sammlungen für Frau Huber unternommen. Was für Leipelt und seinen Kreis in München wie für die Hamburger Gruppe ungewöhnlich war, war ein Widerstand, der sich nicht lähmen ließ durch eine Reihe bereits vollzogener Todesurteile.

Ein Jahr nach der Verhaftung Leipelts am 13. Oktober 1944 fand der vierte Prozeß der ›Weißen Rose‹ statt. Dabei wurde Hans Konrad Leipelt zum Tode verurteilt. Über drei weitere Mitangeklagte, die beim Chemischen Institut in München beschäftigt waren, wurden hohe Haftstrafen verhängt. Leipelt wurde, wie die sechs vor ihm, in das Vollstreckungsgefängnis München-Stadelheim gebracht. Dort wurde er am 29. Januar 1945 durch das Fallbeil hingerichtet.

In Hamburg wurden insgesamt noch vier weitere Prozesse vorbereitet, und zwar die ›Strafsachen Kucharski und andere‹, ›Suhr und andere‹, ›Schneider und andere‹ und ›Himpkamp und andere‹. Abgeurteilt wurden zum Glück aber nur noch drei Angehörige der Hamburger Gruppe. Der Volksgerichtshof verurteilte Heinz Kucharski am 17. April 1945 zum Tode, Dr. Rudolf Degkwitz erhielt ein Jahr Gefängnis, Felix Jud wurde am 19. April 1945 zu vier Jahren Zuchthaus verurteilt.

Für die Hamburger Gruppe war es ein Glück, daß sich die Prozesse so lange hinauszögerten und so nicht noch mehr Menschen in den Strudel gerissen wurden.

Die Alliierten machten auch hier den Nazis einen Strich durch die Rechnung. Suhr und auch andere, die mit einem Todesurteil rechnen mußten, wurden nicht mehr abgeurteilt, und Kucharski, der sich auf dem Wege zur Vollstreckung nach Bützow-Dreibergen befand, konnte seinen Henkern um Haaresbreite entfliehen. Die übrigen Verhafteten wurden im Mai 1945 in Hamburg, in Stendal, in Bayreuth und anderswo aus der Haft befreit.

In den ersten Monaten des Jahres 1945 wartete die ganze Welt atemlos stündlich auf das Kriegsende und damit auf das Ende des Naziregimes. Über allen Häftlingen und Todeskandidaten hing damals die flakkernde Hoffnung, daß sie vielleicht doch noch den Wettlauf mit der Zeit gewinnen würden. Auf der anderen Seite spitzte sich die Gefährdung zu, denn der Blick auf den eigenen Untergang ließ das Regime noch brutaler werden. Die Rache gegen die, welche es als einzelne gewagt hatten, seine totale Idee anzugreifen, war, sie mit hinabzureißen in den Tod.

Flugblätter der Weißen Rose

I

Nichts ist eines Kulturvolkes unwürdiger, als sich ohne Widerstand von einer verantwortungslosen und dunklen Trieben ergebenen Herrscherclique ›regieren‹ zu lassen. Ist es nicht so, daß sich jeder ehrliche Deutsche heute seiner Regierung schämt, und wer von uns ahnt das Ausmaß der Schmach, die über uns und unsere Kinder kommen wird, wenn einst der Schleier von unseren Augen gefallen ist und die grauenvollsten und jegliches Maß unendlich überschreitenden Verbrechen ans Tageslicht treten? Wenn das deutsche Volk schon so in seinem tiefsten Wesen korrumpiert und zerfallen ist, daß es, ohne eine Hand zu regen, im leichtsinnigen Vertrauen auf eine fragwürdige Gesetzmäßigkeit der Geschichte das Höchste, das ein Mensch besitzt und das ihn über jede andere Kreatur erhöht, nämlich den freien Willen, preisgibt, die Freiheit des Menschen preisgibt, selbst mit einzugreifen in das Rad der Geschichte und es seiner vernünftigen Entscheidung unterzuordnen – wenn die Deutschen, so jeder Individualität bar, schon so sehr zur geistlosen und feigen Masse geworden sind, dann, ja dann verdienen sie den Untergang. Goethe spricht von den Deutschen als einem tragischen Volke, gleich dem der Juden und Griechen, aber heute hat es eher den Anschein, als sei es eine seichte, willenlose Herde von Mitläufern, denen das Mark aus dem Innersten gesogen und die nun

ihres Kerns beraubt, bereit sind, sich in den Untergang hetzen zu lassen. Es scheint so – aber es ist nicht so; vielmehr hat man in langsamer, trügerischer, systematischer Vergewaltigung jeden einzelnen in ein geistiges Gefängnis gesteckt, und erst als er darin gefesselt lag, wurde er sich des Verhängnisses bewußt. Wenige nur erkannten das drohende Verderben, und der Lohn für ihr heroisches Mahnen war der Tod. Über das Schicksal dieser Menschen wird noch zu reden sein. Wenn jeder wartet, bis der andere anfängt, werden die Boten der rächenden Nemesis unaufhaltsam näher und näher rücken, dann wird auch das letzte Opfer sinnlos in den Rachen des unersättlichen Dämons geworfen sein. Daher muß jeder einzelne seiner Verantwortung als Mitglied der christlichen und abendländischen Kultur bewußt in dieser letzten Stunde sich wehren, soviel er kann, arbeiten wider die Geißel der Menschheit, wider den Faschismus und jedes ihm ähnliche System des absoluten Staates. Leistet passiven Widerstand – *Widerstand* –, wo immer Ihr auch seid, verhindert das Weiterlaufen dieser atheistischen Kriegsmaschine, ehe es zu spät ist, ehe die letzten Städte ein Trümmerhaufen sind, gleich Köln, und ehe die letzte Jugend des Volkes irgendwo für die Hybris eines Untermenschen verblutet ist. Vergeßt nicht, daß ein jedes Volk diejenige Regierung verdient, die es erträgt!
Aus Friedrich Schiller, ›Die Gesetzgebung des Lykurgus und Solon‹: ». . . Gegen seinen eigenen Zweck gehalten, ist die Gesetzgebung des Lykurgus ein Meisterstück der Staats- und Menschenkunde. Er wollte einen mächtigen, in sich selbst gegründeten, unzer-

störbaren Staat; politische Stärke und Dauerhaftigkeit waren das Ziel, wonach er strebte, und dieses Ziel hat er so weit erreicht, als unter seinen Umständen möglich war. Aber hält man den Zweck, welchen Lykurgus sich vorsetzte, gegen den Zweck der Menschheit, so muß eine tiefe Mißbilligung an die Stelle der Bewunderung treten, die uns der erste flüchtige Blick abgewonnen hat. Alles darf dem Besten des Staats zum Opfer gebracht werden, nur dasjenige nicht, dem der Staat selbst nur als ein Mittel dient. Der Staat selbst ist niemals Zweck, er ist nur wichtig als eine Bedingung, unter welcher der Zweck der Menschheit erfüllt werden kann, und dieser Zweck der Menschheit ist kein anderer, als Ausbildung aller Kräfte des Menschen, Fortschreitung. Hindert eine Staatsverfassung, daß alle Kräfte, die im Menschen liegen, sich entwickeln; hindert sie die Fortschreitung des Geistes, so ist sie verwerflich und schädlich, sie mag übrigens noch so durchdacht und in ihrer Art noch so vollkommen sein. Ihre Dauerhaftigkeit selbst gereicht ihr alsdann viel mehr zum Vorwurf als zum Ruhme – sie ist dann nur ein verlängertes Übel; je länger sie Bestand hat, um so schädlicher ist sie.

... Auf Unkosten aller sittlichen Gefühle wurde das politische Verdienst errungen und die Fähigkeit dazu ausgebildet. In Sparta gab es keine eheliche Liebe, keine Mutterliebe, keine kindliche Liebe, keine Freundschaft – es gab nichts als Bürger, nichts als bürgerliche Tugend.

... Ein Staatsgesetz machte den Spartanern die Unmenschlichkeit gegen ihre Sklaven zur Pflicht; in diesen unglücklichen Schlachtopfern wurde die Menschheit beschimpft und mißhandelt. In dem spartanischen Gesetzbuche selbst wurde der gefährliche Grundsatz gepredigt, Menschen als Mittel und nicht als Zwecke zu betrachten – dadurch wurden die Grundfesten des Naturrechts und der Sittlichkeit gesetzmäßig eingerissen.

. . . Welch schöneres Schauspiel gibt der rauhe Krieger Gaius Marcius in seinem Lager vor Rom, der Rache und Sieg aufopfert, weil er die Tränen der Mutter nicht fließen sehen kann!

. . . Der Staat (des Lykurgus) könnte nur unter der einzigen Bedingung fortdauern, wenn der Geist des Volks stillstünde; er könnte sich also nur dadurch erhalten, daß er den höchsten und einzigen Zweck eines Staates verfehlte.«

Aus Goethes ›Des Epimenides Erwachen‹, zweiter Aufzug, vierter Auftritt:

Genien:
Doch was dem Abgrund kühn entstiegen,
Kann durch ein ehernes Geschick
Den halben Weltkreis übersiegen,
Zum Abgrund muß es doch zurück.
Schon droht ein ungeheures Bangen,
Vergebens wird er widerstehn!
Und alle, die noch an ihm hangen,
Sie müssen mit zu Grunde gehn.

Hoffnung:
Nun begegn' ich meinen Braven,
Die sich in der Nacht versammelt,
Um zu schweigen, nicht zu schlafen,

Und das schöne Wort der Freiheit
Wird gelispelt und gestammelt,
Bis in ungewohnter Neuheit
Wir an unsrer Tempel Stufen
Wieder neu entzückt es rufen:

Freiheit! Freiheit!

Wir bitten Sie, dieses Blatt mit möglichst vielen Durchschlägen abzuschreiben und weiterzuverteilen!

Flugblätter der Weißen Rose

II

Man kann sich mit dem Nationalsozialismus geistig nicht auseinandersetzen, weil er ungeistig ist. Es ist falsch, wenn man von einer nationalsozialistischen Weltanschauung spricht, denn wenn es diese gäbe, müßte man versuchen, sie mit geistigen Mitteln zu beweisen oder zu bekämpfen – die Wirklichkeit aber bietet uns ein völlig anderes Bild: schon in ihrem ersten Keim war diese Bewegung auf den Betrug des Mitmenschen angewiesen, schon damals war sie im Innersten verfault und konnte sich nur durch die stete Lüge retten. Schreibt doch Hitler selbst in einer frühen Auflage ›seines‹ Buches (ein Buch, das in dem übelsten Deutsch geschrieben worden ist, das ich je gelesen habe; dennoch ist es von dem Volke der Dichter und Denker zur Bibel erhoben worden): »Man glaubt nicht, wie man ein Volk betrügen muß, um es zu regieren.« Wenn sich nun am Anfang dieses Krebsgeschwür des deutschen Volkes noch nicht allzusehr bemerkbar gemacht hatte, so nur deshalb, weil noch gute Kräfte genug am Werk waren, es zurückzuhalten. Wie es aber größer und größer wurde und schließlich mittels einer letzten gemeinen Korruption zur Macht kam, das Geschwür gleichsam aufbrach und den ganzen Körper besudelte, versteckte sich die Mehrzahl der früheren Gegner, flüchtete die deutsche Intelligenz in ein Kellerloch, um dort als Nachtschattengewächs, dem Licht und der Sonne verborgen, allmählich zu ersticken. Jetzt stehen wir vor dem Ende. Jetzt kommt es darauf an, sich gegenseitig wiederzufinden, aufzuklären von Mensch zu Mensch, immer daran zu denken und sich keine Ruhe zu geben, bis auch der Letzte von der äußersten Notwendigkeit seines Kämpfens wider dieses System überzeugt ist. Wenn so eine Welle des Aufruhrs durch das Land geht, wenn ›es in der Luft liegt‹, wenn viele mitmachen, dann kann in einer letzten, gewaltigen Anstrengung dieses System abgeschüttelt werden. Ein Ende mit Schrecken ist immer noch besser als ein Schrecken ohne Ende.

Es ist uns nicht gegeben, ein endgültiges Urteil über den Sinn unserer Geschichte zu fällen. Aber wenn diese Katastrophe uns zum Heile dienen soll, so doch nur dadurch: durch das Leid gereinigt zu werden, aus der tiefsten Nacht heraus das Licht zu ersehen, sich aufzuraffen und endlich mitzuhelfen, das Joch abzuschütteln, das die Welt bedrückt.

Nicht über die Judenfrage wollen wir in diesem Blatte schreiben, keine Verteidigungsrede verfassen – nein, nur als Beispiel wollen wir die Tatsache kurz anführen, die Tatsache, daß seit der Eroberung Polens *dreihunderttausend* Juden in diesem Land auf bestialischste Art ermordet worden sind. Hier sehen wir das fürchterlichste Verbrechen an der Würde des Menschen, ein Verbrechen, dem sich kein ähnliches in der ganzen Menschengeschichte an die Seite stellen kann. Auch die Juden sind doch Menschen – man mag sich zur Judenfrage stellen wie man will –, und an Menschen wurde solches verübt. Vielleicht sagt jemand, die Juden hätten ein solches Schicksal verdient; diese Behauptung wäre eine ungeheure Anmaßung; aber angenommen, es sagte jemand dies, wie stellt er sich dann zu der Tatsache, daß die gesamte polnische adelige Jugend vernichtet worden ist (gebe Gott, daß sie es noch nicht ist!)? Auf welche Art, fragen Sie, ist solches geschehen? Alle männlichen Sprößlinge aus adeligen Geschlechtern zwischen 15 und 20 Jahren wurden in Konzentrationslager nach Deutschland zur Zwangsarbeit, alle Mädchen gleichen Alters nach Norwegen in die Bordelle der SS verschleppt! Wozu wir dies Ihnen alles erzählen, da Sie es schon selber wissen, wenn nicht diese, so andere gleich schwere Verbrechen des fürchterlichen Untermenschentums? Weil hier eine Frage berührt wird, die uns alle zutiefst angeht und allen zu denken geben *muß*. Warum verhält sich das deutsche Volk angesichts all dieser scheußlichsten menschenunwürdigsten Verbrechen so apathisch? Kaum irgend jemand macht sich Gedanken darüber. Die Tatsache wird als solche hingenommen und ad acta gelegt. Und wieder schläft das deutsche Volk in seinem stumpfen, blöden Schlaf weiter und gibt diesen faschistischen Verbrechern Mut und Gelegenheit, weiterzuwüten – und diese tun es. Sollte dies ein Zeichen dafür sein, daß die Deutschen in ihren primitivsten menschlichen Gefühlen verroht sind, daß keine Saite in ihnen schrill aufschreit im Angesicht solcher Taten, daß sie in einen tödlichen Schlaf versunken sind, aus dem es kein Erwachen mehr gibt, nie, niemals? Es scheint so und ist es bestimmt, wenn der Deutsche nicht endlich aus dieser Dumpfheit auffährt, wenn er nicht protestiert, wo immer er nur kann, gegen diese Verbrecherclique, wenn er mit diesen Hunderttausenden von Opfern nicht mitleidet. Und nicht nur Mitleid muß er empfinden, nein, noch viel mehr: *Mitschuld*. Denn er gibt durch sein apathisches Verhalten diesen dunklen Menschen erst die Möglichkeit, so zu handeln, er leidet diese ›Regierung‹, die eine so unendliche Schuld auf sich geladen hat, ja, er ist doch selbst schuld daran, daß sie überhaupt entstehen konnte! Ein jeder will sich von einer solchen Mitschuld freisprechen, ein jeder tut es und schläft dann wieder mit ruhigstem, bestem Gewissen. Aber er kann sich nicht freisprechen, ein jeder ist *schuldig, schuldig, schuldig!* Doch ist es noch nicht zu spät, diese abscheulichste aller Mißgeburten von Regierungen aus der Welt zu schaffen, um nicht noch mehr Schuld auf sich zu laden. Jetzt, da uns in den letzten Jahren die Augen vollkommen geöffnet worden sind, da wir wissen, mit wem wir es zu tun haben, jetzt ist es allerhöchste Zeit, diese braune Horde auszurotten. Bis zum Ausbruch des Krieges war der größte Teil des deutschen Volkes geblendet, die Nationalsozialisten zeigten sich nicht in ihrer wahren Gestalt, doch jetzt, da man sie erkannt hat, muß es die einzige und höchste Pflicht, ja heiligste Pflicht eines jeden Deutschen sein, diese Bestien zu vertilgen.

»Der, des Verwaltung unauffällig ist, des Volk ist froh. Der, des Verwaltung aufdringlich ist, des Volk ist gebrochen.
Elend, ach, ist es, worauf Glück sich aufbaut. Glück, ach, verschleiert nur Elend. Wo soll das hinaus? Das Ende ist nicht abzusehen. Das Geordnete verkehrt sich

in Unordnung, das Gute verkehrt sich in Schlechtes. Das Volk gerät in Verwirrung. Ist es nicht so, täglich, seit langem?
Daher ist der Hohe Mensch rechteckig, aber er stößt nicht an, er ist kantig, aber verletzt nicht, er ist aufrecht, aber nicht schroff. Er ist klar, aber will nicht glänzen.« Lao-tse

»Wer unternimmt, das Reich zu beherrschen und es nach seiner Willkür zu gestalten; ich sehe ihn sein Ziel nicht erreichen; das ist alles.«

»Das Reich ist ein lebendiger Organismus; es kann nicht gemacht werden, wahrlich! Wer daran machen will, verdirbt es, wer sich seiner bemächtigen will, verliert es.«
Daher: »Von den Wesen gehen manche vorauf, andere folgen ihnen, manche atmen warm, manche kalt, manche sind stark, manche schwach, manche erlangen Fülle, andere unterliegen.«
»Der Hohe Mensch daher läßt ab von Übertriebenheit, läßt ab von Überhebung, läßt ab von Übergriffen.« Lao-tse

Wir bitten, diese Schrift mit möglichst vielen Durchschlägen abzuschreiben und weiterzuverteilen.

III

»Salus publica suprema lex«
Alle idealen Staatsformen sind Utopien. Ein Staat kann nicht rein theoretisch konstruiert werden, sondern er muß ebenso wachsen, reifen wie der einzelne Mensch. Aber es ist nicht zu vergessen, daß am Anfang einer jeden Kultur die Vorform des Staates vorhanden war. Die Familie ist so alt wie die Menschen selbst, und aus diesem anfänglichen Zusammensein hat sich der vernunftbegabte Mensch einen Staat geschaffen, dessen Grund die Gerechtigkeit und dessen höchstes Gesetz das Wohl Aller sein soll. Der Staat soll eine Analogie der göttlichen Ordnung darstellen, und die höchste aller Utopien, die civitas Dei, ist das Vorbild, dem er sich letzten Endes nähern soll. Wir wollen hier nicht urteilen über die verschiedenen möglichen Staatsformen, die Demokratie, die konstitutionelle Monarchie, das Königtum usw. Nur eines will eindeutig und klar herausgehoben werden: jeder einzelne Mensch hat einen Anspruch auf einen brauchbaren und gerechten Staat, der die Freiheit des einzelnen als auch das Wohl der Gesamtheit sichert. Denn der Mensch soll nach Gottes Willen frei und unabhängig im Zusammenleben und Zusammenwirken der staatlichen Gemeinschaft sein natürliches Ziel, sein irdisches Glück in Selbständigkeit und Selbsttätigkeit zu erreichen suchen.

Unser heutiger ›Staat‹ aber ist die Diktatur des Bösen. »Das wissen wir schon lange«, höre ich Dich einwenden, »und wir haben es nicht nötig, daß uns dies hier noch einmal vorgehalten wird.« Aber, frage ich Dich, wenn Ihr das wißt, warum regt Ihr Euch nicht, warum duldet Ihr, daß diese Gewalthaber Schritt für Schritt offen und im verborgenen eine Domäne Eures Rechts nach der anderen rauben, bis eines Tages nichts, aber auch gar nichts übrigbleiben wird als ein mechanisiertes Staatsgetriebe, kommandiert von Verbrechern und Säufern? Ist Euer Geist schon so sehr der Vergewaltigung unterlegen, daß Ihr vergeßt, daß es nicht nur Euer Recht, sondern Eure *sittliche Pflicht* ist, dieses System zu beseitigen? Wenn aber ein Mensch nicht mehr die Kraft aufbringt, sein Recht zu fordern, dann muß er mit absoluter Notwendigkeit untergehen. Wir würden es verdienen, in alle Welt verstreut zu werden wie der Staub vor dem Winde, wenn wir uns in dieser zwölften Stunde nicht aufrafften und endlich den Mut aufbrächten, der uns seither gefehlt hat. Verbergt nicht Eure Feigheit unter dem Mantel der Klugheit. Denn mit jedem Tag, da Ihr noch zögert, da Ihr dieser Ausgeburt der Hölle nicht widersteht, wächst Eure Schuld gleich einer parabolischen Kurve höher und immer höher.
Viele, vielleicht die meisten Leser dieser Blätter sind sich darüber nicht klar, wie sie einen Widerstand ausüben sollen. Sie sehen keine Möglichkeiten. Wir wollen versuchen, ihnen zu zeigen, daß ein jeder in der Lage ist, etwas beizutragen zum Sturz dieses Systems. Nicht durch individualistische Gegnerschaft, in der

Art verbitterter Einsiedler, wird es möglich werden, den Boden für einen Sturz dieser ›Regierung‹ reif zu machen oder gar den Umsturz möglichst bald herbeizuführen, sondern nur durch die Zusammenarbeit vieler überzeugter, tatkräftiger Menschen, Menschen, die sich einig sind, mit welchen Mitteln sie ihr Ziel erreichen können. Wir haben keine reiche Auswahl an solchen Mitteln, nur ein einziges steht uns zur Verfügung – der *passive Widerstand*.

Der Sinn und das Ziel des passiven Widerstandes ist, den Nationalsozialismus zu Fall zu bringen, und in diesem Kampf ist vor keinem Weg, vor keiner Tat zurückzuschrecken, mögen sie auf Gebieten liegen, auf welchen sie auch wollen. An *allen* Stellen muß der Nationalsozialismus angegriffen werden, an denen er nur angreifbar ist. Ein Ende muß diesem Unstaat möglichst bald bereitet werden – ein Sieg des faschistischen Deutschland in diesem Kriege hätte unabsehbare, fürchterliche Folgen. Nicht der militärische Sieg über den Bolschewismus darf die erste Sorge für jeden Deutschen sein, sondern die Niederlage der Nationalsozialisten. Dies muß *unbedingt* an erster Stelle stehen. Die größere Notwendigkeit dieser letzten Forderung werden wir Ihnen in einem unserer nächsten Blätter beweisen.

Und jetzt muß sich ein jeder entschiedene Gegner des Nationalsozialismus die Frage vorlegen: Wie kann er gegen den gegenwärtigen ›Staat‹ am wirksamsten ankämpfen, wie ihm die empfindlichsten Schläge beibringen? Durch den passiven Widerstand – zweifellos. Es ist klar, daß wir unmöglich für jeden einzelnen Richtlinien für sein Verhalten geben können, nur all-

gemein andeuten können wir, den Weg zur Verwirklichung muß jeder selber finden.
Sabotage in Rüstungs- und kriegswichtigen Betrieben, Sabotage in allen Versammlungen, Kundgebungen, Festlichkeiten, Organisationen, die durch die nationalsozialistische Partei ins Leben gerufen werden. Verhinderung des reibungslosen Ablaufs der Kriegsmaschine (einer Maschine, die nur für einen Krieg arbeitet, der *allein* um die Rettung und Erhaltung der nationalsozialistischen Partei und ihrer Diktatur geht). *Sabotage* auf allen wissenschaftlichen und geistigen Gebieten, die für eine Fortführung des gegenwärtigen Krieges tätig sind – sei es in Universitäten, Hochschulen, Laboratorien, Forschungsanstalten, technischen Büros. *Sabotage* in allen Veranstaltungen kultureller Art, die das ›Ansehen‹ der Faschisten im Volke heben könnten. *Sabotage* in allen Zweigen der bildenden Künste, die nur im geringsten im Zusammenhang mit dem Nationalsozialismus stehen und ihm dienen. *Sabotage* in allem Schrifttum, allen Zeitungen, die im Solde der ›Regierung‹ stehen, für ihre Ideen, für die Verbreitung der braunen Lüge kämpfen. Opfert nicht einen Pfennig bei Straßensammlungen (auch wenn sie unter dem Deckmantel wohltätiger Zwecke durchgeführt werden). Denn dies ist nur eine Tarnung. In Wirklichkeit kommt das Ergebnis weder dem Roten Kreuz noch den Notleidenden zugute. Die Regierung braucht dies Geld nicht, ist auf diese Sammlungen finanziell nicht angewiesen – die Druckmaschinen laufen ja ununterbrochen und stellen jede beliebige Menge Papiergeld her. Das Volk muß aber dauernd in Spannung gehalten werden, nie darf der Druck der

Kandare nachlassen! Gebt nichts für die Metall-, Spinnstoff- und andere Sammlungen. Sucht alle Bekannten auch aus den unteren Volksschichten von der Sinnlosigkeit einer Fortführung, von der Aussichtslosigkeit dieses Krieges, von der geistigen und wirtschaftlichen Versklavung durch den Nationalsozialismus, von der Zerstörung aller sittlichen und religiösen Werte zu überzeugen und zum *passiven Widerstand* zu veranlassen!

Aristoteles, ›Über die Politik‹: ». . . ferner gehört es« (zum Wesen der Tyrannis), »dahin zu streben, daß ja nichts verborgen bleibe, was irgendein Untertan spricht oder tut, sondern überall Späher ihn belauschen, . . . ferner alle Welt miteinander zu verhetzen und Freunde mit Freunden zu verfeinden und das Volk mit den Vornehmen und die Reichen unter sich. Sodann gehört es zu solchen tyrannischen Maßregeln, die Untertanen arm zu machen, damit die Leibwache besoldet werden kann, und sie, mit der Sorge um ihren täglichen Erwerb beschäftigt, keine Zeit und Muße haben, Verschwörungen anzustiften . . . Ferner aber auch solche hohe Einkommensteuern, wie die in Syrakus auferlegten, denn unter Dionysios hatten die Bürger dieses Staates in fünf Jahren glücklich ihr ganzes Vermögen in Steuern ausgegeben. Und auch beständig Kriege zu erregen, ist der Tyrann geneigt . . .«

Bitte vervielfältigen und weitergeben!

Flugblätter der Weißen Rose

IV

Es ist eine alte Weisheit, die man Kindern immer wieder aufs neue predigt, daß, wer nicht hören will, fühlen muß. Ein kluges Kind wird sich aber die Finger nur einmal am heißen Ofen verbrennen. In den vergangenen Wochen hatte Hitler sowohl in Afrika, als auch in Rußland Erfolge zu verzeichnen. Die Folge davon war, daß der Optimismus auf der einen, die Bestürzung und der Pessimismus auf der anderen Seite des Volkes mit einer der deutschen Trägheit unvergleichlichen Schnelligkeit anstieg. Allenthalben hörte man unter den Gegnern Hitlers, also unter dem besseren Teil des Volkes, Klagerufe, Worte der Enttäuschung und der Entmutigung, die nicht selten in dem Ausruf endigten: »Sollte nun Hitler doch . . .?«
Indessen ist der deutsche Angriff auf Ägypten zum Stillstand gekommen, Rommel muß in einer gefährlich exponierten Lage verharren – aber noch geht der Vormarsch im Osten weiter. Dieser scheinbare Erfolg ist unter den grauenhaftesten Opfern erkauft worden, so daß er schon nicht mehr als vorteilhaft bezeichnet werden kann. Wir warnen daher vor *jedem* Optimismus.
Wer hat die Toten gezählt. Hitler oder Goebbels – wohl keiner von beiden. Täglich fallen in Rußland Tausende. Es ist die Zeit der Ernte, und der Schnitter fährt mit vollem Zug in die reife Saat. Die Trauer

kehrt ein in die Hütten der Heimat und niemand ist da, der die Tränen der Mütter trocknet, Hitler aber belügt die, deren teuerstes Gut er geraubt und in den sinnlosen Tod getrieben hat.
Jedes Wort, das aus Hitlers Munde kommt, ist Lüge. Wenn er Frieden sagt, meint er den Krieg, und wenn er in frevelhaftester Weise den Namen des Allmächtigen nennt, meint er die Macht des Bösen, den gefallenen Engel, den Satan. Sein Mund ist der stinkende Rachen der Hölle, und seine Macht ist im Grunde verworfen. Wohl muß man mit rationalen Mitteln den Kampf wider den nationalsozialistischen Terrorstaat führen; wer aber heute noch an der realen Existenz der dämonischen Mächte zweifelt, hat den metaphysischen Hintergrund dieses Krieges bei weitem nicht begriffen. Hinter dem Konkreten, hinter dem sinnlich Wahrnehmbaren, hinter allen sachlichen, logischen Überlegungen steht das Irrationale, d. i. der Kampf wider den Dämon, wider den Boten des Antichrists. Überall und zu allen Zeiten haben die Dämonen im Dunkeln gelauert auf die Stunde, da der Mensch schwach wird, da er seine ihm von Gott auf Freiheit gegründete Stellung im ordo eigenmächtig verläßt, da er dem Druck des Bösen nachgibt, sich von den Mächten höherer Ordnung loslöst und so, nachdem er den ersten Schritt freiwillig getan, zum zweiten und dritten und immer mehr getrieben wird mit rasend steigender Geschwindigkeit – überall und zu allen Zeiten der höchsten Not sind Menschen aufgestanden, Propheten, Heilige, die ihre Freiheit gewahrt hatten, die auf den Einzigen Gott hinwiesen und mit seiner Hilfe das Volk zur Umkehr mahnten. Wohl ist der

Mensch frei, aber er ist wehrlos wider das Böse ohne den wahren Gott, er ist wie ein Schiff ohne Ruder, dem Sturme preisgegeben, wie ein Säugling ohne Mutter, wie eine Wolke, die sich auflöst.
Gibt es, so frage ich Dich, der Du ein Christ bist, gibt es in diesem Ringen um die Erhaltung Deiner höchsten Güter ein Zögern, ein Spiel mit Intrigen, ein Hinausschieben der Entscheidung in der Hoffnung, daß ein anderer die Waffen erhebt, um Dich zu verteidigen? Hat Dir nicht Gott selbst die Kraft und den Mut gegeben zu kämpfen? Wir *müssen* das Böse dort angreifen, wo es am mächtigsten ist, und es ist am mächtigsten in der Macht Hitlers.
»Ich wandte mich und sah an alles Unrecht, das geschah unter der Sonne; und siehe, da waren Tränen derer, so Unrecht litten und hatten keinen Tröster; und die ihnen Unrecht taten, waren so mächtig, daß sie keinen Tröster haben konnten.
Da lobte ich die Toten, die schon gestorben waren, mehr denn die Lebendigen, die noch das Leben hatten . . .« (Sprüche)
Novalis: »Wahrhafte Anarchie ist das Zeugungselement der Religion. Aus der Vernichtung alles Positiven hebt sie ihr glorreiches Haupt als neue Weltstifterin empor . . . Wenn Europa wieder erwachen wollte, wenn ein Staat der Staaten, eine politische Wissenschaftslehre uns bevorstände! Sollte etwa die Hierarchie . . . das Prinzip des Staatenvereins sein? . . . Es wird so lange Blut über Europa strömen, bis die Nationen ihren fürchterlichen Wahnsinn gewahr werden, der sie im Kreis herumtreibt, und von heiliger Musik getroffen und besänftigt zu ehemaligen Altären in

bunter Vermischung treten, Werke des Friedens vornehmen und ein großes Friedensfest auf den rauchenden Walstätten mit heißen Tränen gefeiert wird. Nur die Religion kann Europa wieder aufwecken und das Völkerrecht sichern und die Christenheit mit neuer Herrlichkeit sichtbar auf Erden in ihr friedenstiftendes Amt installieren.«

Wir weisen ausdrücklich darauf hin, daß die Weiße Rose nicht im Solde einer ausländischen Macht steht. Obgleich wir wissen, daß die nationalsozialistische Macht militärisch gebrochen werden muß, suchen wir eine Erneuerung des schwerverwundeten deutschen Geistes von innen her zu erreichen. Dieser Wiedergeburt muß aber die klare Erkenntnis aller Schuld, die das deutsche Volk auf sich geladen hat, und ein rücksichtsloser Kampf gegen Hitler und seine allzuvielen Helfershelfer, Parteimitglieder, Quislinge usw. vorausgehen. Mit aller Brutalität muß die Kluft zwischen dem besseren Teil des Volkes und allem, was mit dem Nationalsozialismus zusammenhängt, aufgerissen werden. Für Hitler und seine Anhänger gibt es auf dieser Erde keine Strafe, die ihren Taten gerecht wäre. Aber aus Liebe zu kommenden Generationen muß nach Beendigung des Krieges ein Exempel statuiert werden, daß niemand auch nur die geringste Lust je verspüren sollte, Ähnliches aufs neue zu versuchen. Vergeßt auch nicht die kleinen Schurken dieses Systems, merkt Euch die Namen, auf daß keiner entkomme! Es soll ihnen nicht gelingen, in letzter Minute noch nach diesen Scheußlichkeiten die Fahne zu wechseln und so zu tun, als ob nichts gewesen wäre!

Zu Ihrer Beruhigung möchten wir noch hinzufügen, daß die Adressen der Leser der Weißen Rose nirgendwo schriftlich niedergelegt sind. Die Adressen sind willkürlich Adreßbüchern entnommen.
Wir schweigen nicht, wir sind Euer böses Gewissen; die Weiße Rose läßt Euch keine Ruhe!

Bitte vervielfältigen und weitersenden!

Flugblätter der Widerstandsbewegung in Deutschland

Aufruf an alle Deutsche!

Der Krieg geht seinem sicheren Ende entgegen. Wie im Jahre 1918 versucht die deutsche Regierung alle Aufmerksamkeit auf die wachsende U-Boot-Gefahr zu lenken, während im Osten die Armeen unaufhörlich zurückströmen, im Westen die Invasion erwartet wird. Die Rüstung Amerikas hat ihren Höhepunkt noch nicht erreicht, aber heute schon übertrifft sie alles in der Geschichte seither Dagewesene. Mit mathematischer Sicherheit führt Hitler das deutsche Volk in den Abgrund. *Hitler kann den Krieg nicht gewinnen, nur noch verlängern!* Seine und seiner Helfer Schuld hat jedes Maß unendlich überschritten. Die gerechte Strafe rückt näher und näher!

Was aber tut das deutsche Volk? Es sieht nicht und es hört nicht. Blindlings folgt es seinen Verführern ins Verderben. Sieg um jeden Preis! haben sie auf ihre Fahne geschrieben. Ich kämpfe bis zum letzten Mann, sagt Hitler – indes ist der Krieg bereits verloren.

Deutsche! Wollt Ihr und Eure Kinder dasselbe Schicksal erleiden, das den Juden widerfahren ist? Wollt Ihr mit dem gleichen Maße gemessen werden wie Eure Verführer? Sollen wir auf ewig das von aller Welt gehaßte und ausgestoßene Volk sein? Nein! Darum trennt Euch von dem nationalsozialistischen Untermenschentum! Beweist durch die Tat, daß Ihr anders denkt! Ein neuer Befreiungskrieg bricht an. Der bessere Teil des Volkes kämpft auf unserer Seite. Zerreißt den Mantel der Gleichgültigkeit, den Ihr um Euer Herz gelegt! Entscheidet Euch, *ehe es zu spät ist!* Glaubt nicht der nationalsozialistischen Propaganda, die Euch den Bolschewistenschreck in die Glieder gejagt hat! Glaubt nicht, daß Deutschlands Heil mit dem Sieg des Nationalsozialismus auf Gedeih und Verderben verbunden sei! Ein Verbrechertum kann keinen deutschen Sieg erringen. Trennt Euch *rechtzeitig* von allem, was mit dem Nationalsozialismus zusammenhängt! Nachher wird ein schreckliches, aber gerechtes Gericht kommen über die, so sich feig und unentschlossen verborgen hielten.

Was lehrt uns der Ausgang dieses Krieges, der nie ein nationaler war?

Der imperialistische Machtgedanke muß, von welcher Seite er auch kommen möge, für alle Zeit unschädlich gemacht werden. Ein einseitiger preußischer Militarismus darf nie mehr zur Macht gelangen. Nur in großzügiger Zusammenarbeit der europäischen Völker kann der Boden geschaffen werden, auf welchem ein neuer Aufbau möglich sein wird. Jede zentralistische Gewalt, wie sie der preußische Staat in Deutschland und Europa auszuüben versucht hat, muß im Keime erstickt werden. Das kommende Deutschland kann nur föderalistisch sein. Nur eine gesunde föderalistische Staatenordnung vermag heute noch das geschwächte Europa mit neuem Leben zu erfüllen. Die Arbeiterschaft muß durch einen vernünftigen Sozialismus aus ihrem Zustand niedrigster Sklaverei befreit werden. Das Truggebilde der autarken Wirtschaft

muß in Europa verschwinden. Jedes Volk, jeder einzelne hat ein Recht auf die Güter der Welt!
Freiheit der Rede, Freiheit des Bekenntnisses, Schutz des einzelnen Bürgers vor der Willkür verbrecherischer Gewaltstaaten, das sind die Grundlagen des neuen Europa.
Unterstützt die Widerstandsbewegung, verbreitet die Flugblätter!

Das letzte Flugblatt

Kommilitonen! Kommilitoninnen!

Erschüttert steht unser Volk vor dem Untergang der Männer von Stalingrad. Dreihundertdreißigtausend deutsche Männer hat die geniale Strategie des Weltkriegsgefreiten sinn- und verantwortungslos in Tod und Verderben gehetzt. Führer, wir danken dir!
Es gärt im deutschen Volk: Wollen wir weiter einem Dilettanten das Schicksal unserer Armeen anvertrauen? Wollen wir den niedrigsten Machtinstinkten einer Parteiclique den Rest unserer deutschen Jugend opfern? Nimmermehr! Der Tag der Abrechnung ist gekommen, der Abrechnung der deutschen Jugend mit der verabscheuungswürdigsten Tyrannis, die unser Volk je erduldet hat. Im Namen des ganzen deutschen Volkes fordern wir vom Staat Adolf Hitlers die persönliche Freiheit, das kostbarste Gut der Deutschen zurück, um das er uns in der erbärmlichsten Weise betrogen.
In einem Staat rücksichtsloser Knebelung jeder freien Meinungsäußerung sind wir aufgewachsen. HJ, SA und SS haben uns in den fruchtbarsten Bildungsjahren unseres Lebens zu uniformieren, zu revolutionieren, zu narkotisieren versucht. ›Weltanschauliche Schulung‹ hieß die verächtliche Methode, das aufkeimende Selbstdenken und Selbstwerten in einem Nebel leerer Phrasen zu ersticken. Eine Führerauslese, wie sie teuflischer und zugleich bornierter nicht gedacht werden

kann, zieht ihre künftigen Parteibonzen auf Ordensburgen zu gottlosen, schamlosen und gewissenlosen Ausbeutern und Mordbuben heran, zur blinden, stupiden Führergefolgschaft. Wir ›Arbeiter des Geistes‹ wären gerade recht, dieser neuen Herrenschicht den Knüppel zu machen. Frontkämpfer werden von Studentenführern und Gauleiteraspiranten wie Schulbuben gemaßregelt, Gauleiter greifen mit geilen Späßen den Studentinnen an die Ehre. Deutsche Studentinnen haben an der Münchner Hochschule auf die Besudelung ihrer Ehre eine würdige Antwort gegeben, deutsche Studenten haben sich für ihre Kameradinnen eingesetzt und standgehalten . . . Das ist ein Anfang zur Erkämpfung unserer freien Selbstbestimmung, ohne die geistige Werte nicht geschaffen werden können. Unser Dank gilt den tapferen Kameradinnen und Kameraden, die mit leuchtendem Beispiel vorangegangen sind!
Es gibt für uns nur eine Parole: Kampf gegen die Partei! Heraus aus den Parteigliederungen, in denen man uns politisch weiter mundtot halten will! Heraus aus den Hörsälen der SS-Unter- und -Oberführer und Parteikriecher! Es geht uns um wahre Wissenschaft und echte Geistesfreiheit! Kein Drohmittel kann uns schrecken, auch nicht die Schließung unserer Hochschulen. Es gilt den Kampf jedes einzelnen von uns um unsere Zukunft, unsere Freiheit und Ehre in einem seiner sittlichen Verantwortung bewußten Staatswesen.
Freiheit und Ehre! Zehn lange Jahre haben Hitler und seine Genossen die beiden herrlichen deutschen Worte bis zum Ekel ausgequetscht, abgedroschen, verdreht,

wie es nur Dilettanten vermögen, die die höchsten Werte einer Nation vor die Säue werfen. Was ihnen Freiheit und Ehre gilt, das haben sie in zehn Jahren der Zerstörung aller materiellen und geistigen Freiheit, aller sittlichen Substanz im deutschen Volk genugsam gezeigt. Auch dem dümmsten Deutschen hat das furchtbare Blutbad die Augen geöffnet, das sie im Namen von Freiheit und Ehre der deutschen Nation in ganz Europa angerichtet haben und täglich neu anrichten. Der deutsche Name bleibt für immer geschändet, wenn nicht die deutsche Jugend endlich aufsteht, rächt und sühnt zugleich, ihre Peiniger zerschmettert und ein neues geistiges Europa aufrichtet. Studentinnen! Studenten! Auf uns sieht das deutsche Volk! Von uns erwartet es, wie 1813 die Brechung des Napoleonischen, so 1943 die Brechung des nationalsozialistischen Terrors aus der Macht des Geistes. Beresina und Stalingrad flammen im Osten auf, die Toten von Stalingrad beschwören uns!
»Frisch auf mein Volk, die Flammenzeichen rauchen!«
Unser Volk steht im Aufbruch gegen die Verknechtung Europas durch den Nationalsozialismus, im neuen gläubigen Durchbruch von Freiheit und Ehre.

Bemerkungen zu den Zielen der Weißen Rose

Dieses Buch entstand in den Jahren unmittelbar nach dem Zweiten Weltkrieg, in dessen Trümmern das Dritte Reich endete. Damals schrieb ich die Geschichte der Weißen Rose auf, ausgehend von der Geschichte meiner Geschwister Hans und Sophie, weil ich immer und immer wieder danach gefragt wurde – von Lehrern, von Schülern, von Studenten, von alten und jungen Zeitgenossen meiner Geschwister; ich schrieb sie auf für die Jugendlichen, die mit der Hitlerjugend aufgewachsen waren und denen das schreckliche Nichts jetzt die Augen geöffnet hatte – die nun nach der Wahrheit suchten, nach dem Anderen in ihrem eigenen Volk. Damals begann ein Prozeß der politischen Selbstbesinnung, es war ein befreiender Anfang . . .
Ich hatte mich darauf beschränkt, die Geschichte meiner Geschwister und ihrer Freunde aus unmittelbarer Nähe darzustellen. Die zeitliche Distanz, die es ermöglicht hätte, nach historischen Zusammenhängen zu fragen, gab es damals noch nicht, und auch die Frage nach dem Erfolg des Widerstandes wurde noch nicht gestellt. Denn für die Menschen, die nach Kriegsende von den schauerlichen Praktiken des Nazi-Sytems erfuhren, war entscheidend, daß es überhaupt Widerstand gegeben hatte. Sie empfanden dies so, wie es in den Worten Sir Winston Churchills zum Ausdruck kam:
»In ganz Deutschland lebte eine Opposition, die zum

Edelsten und Größten gehörte, das in der politischen Geschichte aller Völker je hervorgebracht wurde. Diese Männer kämpften ohne Hilfe von innen oder außen, einzig getrieben von der Unruhe ihres Gewissens. Solange sie lebten, waren sie für uns unerkennbar, da sie sich tarnen mußten. Aber an den Toten ist der Widerstand sichtbar geworden. Diese Toten vermögen nicht alles zu rechtfertigen, was in Deutschland geschah. Aber die Toten und Opfer sind das unzerstörbare Fundament eines neuen Aufbaus.«

Vor allem die jungen Menschen, deren Gutgläubigkeit so sehr mißbraucht worden war, fanden aus der Geschichte der Weißen Rose die Ermutigung zu einem neuen Anfang. Sie fühlten nicht nur eine grausame Vergangenheit oder sogar eigenes Versagen auf sich lasten, sie brachen Resignation auf durch Anerkennung, ja Identifikation mit dem Widerstand.

Im Laufe der Zeit kamen Dokumente ans Licht, die meine Aufzeichnungen durch wichtige Details präzisierten; sie gaben Hinweise auf Zusammenhänge und machten die politischen Konturen dieses Widerstandskreises sichtbarer. Dokumente und Spuren, Äußerungen und Berichte von Augenzeugen sind das Material, aus dem das Bild der Geschichte klar wird.

Zu den Flugblättern, den Anklageschriften und Urteilen des Volksgerichtshofs kamen Augenzeugenberichte von Freunden aus dem Kreis der Weißen Rose, auch von Unbekannten. Sie brachten wenig Neues über das eigentliche Geschehen, doch vermittelten sie alle etwas von den Personen, von ihrer Atmosphäre, so subjektiv sie auch sein mochten. Sie sagten etwas über die Stimmung jener Zeit aus. Man darf von ihnen

– von einigen Ausnahmen abgesehen – nicht eine Aussage zum Inhalt des Widerstandes der Weißen Rose, seiner Absichten und Aktionen erwarten; sie waren eher Geschichte vom Rand. Das zentrale Geschehen blieb ausgespart.

Das *Schweigen* war ein entscheidender Faktor in der Strategie des Widerstandes gegen Hitler. Niemand sollte mehr wissen, als unbedingt nötig war. So liegt zwangsläufig auch ein Schweigen über der Geschichte der Weißen Rose. Die eigentlich Zuständigen sind verstummt.

Ungeachtet der vierzig Jahre, die seither vergangen sind, ist die heutige Generation fasziniert von dem Thema Widerstand und beschäftigt sich erneut mit ihm. Wenn man die Frage nach dem unmittelbaren Erfolg übergeht, kristallisieren sich zwei Fragen heraus:

Was waren das für Menschen, die es – als eine kleine Gruppe – wagten, mit Flugblättern gegen ein in Waffen starrendes System anzukämpfen, das nahezu ganz Europa unterjocht hatte?

Was war die Absicht des Widerstandes dieser Menschen, welche politischen Ziele, welches ideologische Konzept hatten sie?

Es bestand wohl bei allen Beteiligten der Münchner studentischen Widerstandsgruppe kein Zweifel darüber, daß jenes Regime mit seinem totalen Machtapparat nicht ohne die Mittel der Macht zu stürzen war. Da sie diese nicht hatten, suchten sie einen anderen Weg: den der Aufklärung und des *passiven Widerstandes*. Ob und wie konkret sie sich von seiner Entwicklung einen Umschlag in *aktiven Widerstand* erwarteten oder erhofften, muß dahingestellt bleiben. Jedenfalls heißt es in einem der Flugblätter der Weißen Rose (II): »Wenn so eine Welle des Aufruhrs durch das Land geht, wenn es in der Luft liegt, wenn viele mitmachen, dann kann in einer letzten gewaltigen Anstrengung dieses System abgeschüttelt werden. Ein Ende mit Schrecken ist immer noch besser als ein Schrecken ohne Ende.« Immerhin gab es auch unter den Mitwirkenden eine Gruppe, die daranging, sich ein Waffendepot anzulegen.

Der Kreis der Weißen Rose in München zielte darauf, ein zunehmendes öffentliches Bewußtsein des wahren Charakters des Nationalsozialismus und der realen Situation zu schaffen, in die er Deutschland und Europa manövriert hatte. Sie wollten in möglichst breiten Kreisen passiven Widerstand wecken. Unter den gegebenen Umständen hätte dafür eine straffe Organisation keinen Erfolg gehabt. Die Angst der Bevölkerung vor dem ständig lauernden Gestapo-Zugriff und das äußerst engmaschige Spitzelsystem bildeten die stärkste Barriere.

Dagegen schien die Möglichkeit noch offen, durch anonyme Aufklärung den Eindruck zu verbreiten, daß es keinen geschlossenen Block mehr hinter dem ›Führer‹ gab, daß es ›an allen Ecken und Enden brodelte‹, wie damals ein Münchner Intellektueller die sich anbahnende Entwicklung kennzeichnete.

Die Parole vom passiven Widerstand sollte den vielen Einzelnen, die das Regime ablehnten, das Gefühl einer wenn auch unsichtbaren, so doch realen Solidarität vermitteln, diese stärken und vergrößern, Zweifelnde gewinnen, Indifferente zu einer Entscheidung bewegen, Nazigläubige in Zweifel versetzen und Begeisterte zur Skepsis bringen. Der passive Widerstand, zu dem die Flugblätter so unmißverständlich und beinahe beschwörend aufriefen, hatte allerdings nicht viele Möglichkeiten; aber seine wenigen sollten mobilisiert werden: von der kleinen persönlichen Einübung in Zivilcourage (zum Beispiel, indem man es unterließ, den Arm zum faschistischen Gruß zu erheben, wenn eine Kolonne Braunhemden mit der Fahne vorüberzog), bis zum Austritt aus der Partei oder der Hitlerjugend; dieser Schritt erforderte allerdings außergewöhnlichen Mut: er ließ einen als verdächtigen Volksfeind erscheinen. Da Hitler in seinen Stimmungen offensichtlich extrem abhängig von der Sympathie der Massen war, wäre ein Stimmungsumschwung durchaus keine stumpfe Waffe gewesen. So wurde damals auch in der obersten Parteispitze festgestellt, daß es sich bei den Flugschriften der Weißen Rose um eines der größten politischen ›Verbrechen‹ gegen das Dritte Reich gehandelt habe.

Der passive Widerstand hätte für einen unpolitischen Deutschen (der die Regel war) etwa mit folgenden Programmpunkten umschrieben werden können: Distanzierung von allem, was Nationalsozialismus hieß, Entzug der direkten oder indirekten Unterstützung der NS-Partei, Hilfe für die Unterdrückten, Unterstützung der Juden, wo immer es noch eine Möglichkeit gab, Solidarisierung mit Fremdarbeitern und Kriegsgefangenen, Einübung in wirksame Verweigerungen und Unterlassungen, Training des getarnten Boykotts; sich als Glied einer großen Kette des europäischen Widerstandes zu wissen, die sich von Frankreich über Holland, Belgien, Skandinavien bis Osteuropa spannte. Die Solidarität mit den anderen europäischen Widerstandsgruppen schien meinem Bruder viel zu bedeuten; denn er sah im Zweiten Weltkrieg das Ende des Nationalismus gekommen, eines Nationalismus, der den gefährlichen Keim des Faschismus in sich trug.

Was unter passivem Widerstand zu verstehen war, ist in dem Flugblatt der Weißen Rose Nr. III ausgesprochen (Seite 106).

Im passiven Widerstand sahen jene Studenten die Kunst des Möglichen. Er sollte das Handeln in kleinen und kleinsten Schritten aktivieren, das jedem zugemutet werden konnte. Gemeint war: sich auf das Erreichbare zu konzentrieren, ohne das Ziel aus dem Auge zu lassen; herauszutreten aus der panischen Angst und der mörderischen Gleichgültigkeit. Der Resignation und der Apathie sollten überlegtes Handeln, Wendigkeit und Einfallsreichtum im alltäglichen Leben entgegengesetzt werden.

Erschwerend für den deutschen Widerstand war es, dabei offenbar gegen den eigenen Staat, gegen die eigene Nation und ihre Interessen opponieren zu müssen. Das war für viele ein schwerwiegender Konflikt, in dem sie sich mühsam zurechtfanden. Meine Geschwister aber hatten es als ein Scheinproblem erkannt. Hinter dem Widerstand der anderen europäischen Nationen gegen die faschistisch-deutsche Besatzungsmacht stand die Solidarität des jeweiligen Volkes. In Deutschland war es nicht so. Aber im Verzicht auf diese Solidarität des eigenen Volkes kristallisierte sich der Kern des Widerstandes gegen den Faschismus um so deutlicher heraus. Es ging zuallererst um die Rettung menschlicher Souveränität, um die Verteidigung einer freien Gesellschaft und ihrer humanen Errungenschaften, die in allen Völkern bis in unser Jahrhundert hinein mühsam, unter Opfern und gegen Unverständnis hatten erkämpft werden müssen (ein Kampf, der noch lange weitergehen wird). Es ging darum, sich zu wehren gegen die hereinbrechende Gefahr eines neuen Barbarismus, gegen die Legalisierung des Völkermordes, gegen eine freibeuterisch-elitäre Doktrin von Rasse und Staat.

Das Gemeinsame der Menschheit war zu verteidigen, war über die Interessen der eigenen Nation zu stellen. Das Gemeinsame aller Nationen und Rassen, das größer und unvergleichlich wichtiger ist als es Unterschiede sind, mußte gerettet werden. Die Nation als historische und gesellschaftliche Größe erhielt von da her ihren Stellenwert. Man verstand den Zweiten Weltkrieg, unter dessen Deckmantel auch die Vernichtung der Juden betrieben wurde, als einen Krieg der Gewalttäter gegen Schwächere, gegen Andersdenkende, gegen Andere. In einem solchen Kampf hatte jeder menschlich Verantwortliche Solidarität mit den Opfern zu zeigen. Gerade die Politik der Unterdrükkung, die jener Staat angeblich im Interesse der Nation betrieb, ließ eine übergeordnete neue Gemeinsamkeit erkennbar werden.

Der politische Ansatz meiner Geschwister war zunächst einfach: sie erkannten unreflektiert die parlamentarische Demokratie an, vor allem die der Angelsachsen. Aber das stand nicht im Vordergrund. Entscheidend war, daß ihr Ja zum NS-Regime sich zu einem eindeutigen Nein entwickelte. Aus den allmählich sich einstellenden Zweifeln wurde massive Ablehnung; schließlich suchten sie einen Ausweg nicht in einer theoretischen Konzeption konkreter Möglichkeiten, sondern in dem Willen zur pragmatischen Veränderung.

Selbstverständlich wurde die Politik mehr und mehr auch zur theoretischen Passion. Hans Scholl spielte mit dem Gedanken, – nach dem Krieg in einem befreiten Deutschland – von der Medizin zur Geschichte und Publizistik, möglicherweise zur Politik überzuwechseln.

Die Vorstellung von dem, was *danach* kommen sollte, war bei jenen Studenten jedoch eher eine Ahnung als ein Konzept. Vermutlich sollte die Überwindung des Nazismus von innen heraus das Konzept für die Zukunft erst ermöglichen.

Den Nationalismus, vor allem den bürgerlichen, hatten diese Studenten in fast respektloser Weise überwunden. Sie hatten für das Politische einen wachen Sinn, der jedoch nicht ideologisch bestimmt war, sondern soziologisch: sie interessierte die Gesellschaft. Im Vordergrund stand das Versagen der deutschen Intelligenz, dessen sie sich voll bewußt waren. Deshalb sprachen sie, vor allem im ersten Flugblatt, in der Sprache des Bürgers und beriefen sich auf große Deutsche wie Schiller und Goethe. Sie versuchten vor allem das Bildungsbürgertum zu erreichen. Sie versuchten, in der deutschen Intelligenz ein schlechtes Gewissen zu wecken – und schließlich den inneren und äußeren Protest zu provozieren. In dem Tagebuch, das mein Bruder im Herbst 1942 schrieb, als er an der

russischen Front als Sanitäter im Einsatz stand, finden sich die Worte:
»Der Mensch ist zum Denken geboren, sagt Pascal, zum Denken, mein verehrter Akademiker, dieses Wort mache ich dir zum Vorwurf. Du wunderst dich, Vertreter des Geistes! Ein Ungeist ist es, dem du dienst in dieser verzweifelten Stunde. Aber du siehst die Verzweiflung nicht; du bist reich, aber du siehst die Armut nicht. Deine Seele verdorrt, weil du ihren Ruf nicht hören wolltest. Du denkst nach über die letzte Verfeinerung eines Maschinengewehrs, aber die primitivste Frage hast du schon in deiner Jugend unterdrückt. Die Frage: warum? und wohin?«
Mein Bruder ging davon aus, daß die Intelligenz aufgrund ihrer Einsichten eine größere Verantwortung hatte. Aber er wollte nicht, daß sie nur reflektiert, sie sollte durch politisches Engagement ihre Rolle erweitern und durch Aktionen einen anderen Stellenwert gewinnen.
Bei dieser Rigorosität des Denkens spielte die Entdekkung des Christentums eine entscheidende Rolle. Sie vollzog sich bei meinen Geschwistern gleichzeitig mit der Entwicklung ihrer politischen Autonomie. Die kirchliche Hierarchie war in jenen Jahren durch ihr anfängliches Bündnis mit dem Nationalsozialismus kompromittiert und schwieg; ungezählte Christen aber waren in den Untergrund, teilweise in den Widerstand gegangen. Ihre Standhaftigkeit, ihre Verläßlichkeit und ihr Selbstbewußtsein waren ermutigend. So tat sich ein Zugang zum Christentum auf, der nicht durch kirchliche Beiläufigkeiten verstellt war. Durch

Freunde und Publizisten wie Carl Muth und Theodor Haecker partizipierten sie an dem existenzphilosophischen Dialog um Kierkegaard, Augustinus und Pascal. Andererseits entdeckten sie die Rationalität der Hochscholastik als ein Denken von hohem Rang; ein Dialog zwischen der modernen Welt und der Religion schien ihnen möglich. Anders als später in der Restauration der fünfziger Jahre waren sie sich bewußt, daß das Abendland ein vorübergegangenes historisches Faktum war. Ein Dialog zwischen Maritain, dem eher konservativen französischen Philosophen, der sich aber den Weltentwicklungen offenhielt, und Jean Cocteau, dem avantgardistischen Schriftsteller, über Theologie und Surrealismus machte ihnen Eindruck.

Das Christentum, wie es sich ihnen eröffnete, ging einher mit einer immer gegenwärtigen Kritik – Wachsamkeit hätten sie es damals nennen können –, die wie ein umsichtiger Gefährte ihren Weg in ein Niemandsland begleitete. Eine erregende Weite der geistigen und existentiellen Möglichkeiten tat sich auf, ein Spielraum, in dem das sich entfaltende Denken keine Sperren duldete. Dabei waren das soziale Engagement und die Verantwortung für das politische Geschehen nicht zu trennen vom Bewußtsein der Einmaligkeit der Person.

Zu den weiteren Entdeckungen jener Jugend gehörten neben anderen James Joyce, Georges Braque, Franz Marc: die verbotenen Vorboten einer freieren Welt. Es konnte sich eine Beziehungslinie ergeben von expressionistischen Malern zur modernen Theologie und bis zur politischen Aktion. Man brauchte nicht aus der zweiten Hand zu leben, den Maler gab es nur noch in der Werkstatt, wo man ihn aufsuchte: seine Werke waren verboten. Den Philosophen fand man in der persönlichen Diskussion: seine Bücher waren aus dem Handel. Man war zugegen, wie Gedanken entstanden, nicht wie sie konsumiert wurden. Hier entfaltete sich eine Freiheit und Energie des Denkens, die letztlich den Willen zum Handeln erwecken konnte.

Es schmälert die Bedeutung jener Studenten in den Jahren 1942/43 nicht, wenn man ihre Aktion als historisch begrenzt sieht. Zu dem, was heute geschieht, bestehen höchstens Analogien. Immer wieder sucht man Parallelen, aber, so meine ich, man sollte stehen lassen, was damals war, wie es gewesen ist. Direkte Nutzanwendungen gibt es nicht. Einige wenige Studenten nahmen es auf sich, unter der Allgegenwart der Diktatur zu agieren; sie nahmen die Einsamkeit auf sich, konnten nicht einmal mit Angehörigen darüber sprechen; sie akzeptierten, daß die Allmacht der staatlichen Organe ihnen keinen Spielraum ließ; sie gaben sich damit zufrieden, Risse zu erzeugen, statt Ecksteine herauszusprengen. Mehr konnten und wollten sie nicht, und sie waren bereit, mit allem zu bezahlen, was sie hatten und waren.

Sämtliche Fotos stammen aus Privatbesitz der Familien
Graf, Huber, Probst, Schmorell, Scholl

Bitte umblättern:

auf den nächsten Seiten informieren wir Sie über weitere interessante Fischer Taschenbücher.

Janusz K.
oder Viele Worte haben einen doppelten Sinn
von Gisela Karau
200 polnische Kinder und Jugendliche werden 1939 in das Konzentrationslager Buchenwald eingeliefert. Einer von ihnen ist Janusz K. Durch den zähen Kampf der illegalen kommunistischen Lagerorganisation gelingt es, die meisten der Kinder vor dem sicheren Tod zu bewahren. Janusz K. und seine Mitgefangenen konnten überleben, weil sie Menschen fanden, die auf Kosten ihrer eigenen Sicherheit bereit waren, anderen zu helfen.

FISCHER
BOOT

Band 7922

DAS TAGEBUCH DER ANNE FRANK

12. Juni 1942 – 1. August 1944

Mit einem Vorwort von

ALBRECHT GOES

Band 77

Anne Frank wurde am 12. Juni 1929 als Kind deutscher jüdischer Eltern geboren. Sie mußte schon in ihrer frühen Jugend die Schrecken der Verfolgung und die Ängste des Lebens in der Verborgenheit erfahren. Die Familie, die nach Holland emigriert war, wurde im August 1944 in ihrem Versteck in Amsterdam entdeckt und in Konzentrationslager gebracht. Im März 1945 starb Anne Frank im Vernichtungslager Bergen-Belsen. Nach der Verhaftung der Familie fand man zwischen alten Büchern und Zeitungen das Tagebuch, das Anne seit ihrem 13. Lebensjahr in holländischer Sprache geführt hatte. Es wurde in mehreren Sprachen veröffentlicht und erregte auf der ganzen Welt als ein erschütterndes menschliches Dokument größtes Aufsehen.

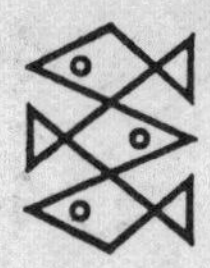

FISCHER TASCHENBUCH VERLAG

ANNE FRANK
SPUR EINES KINDES

Ein Bericht
von Ernst Schnabel
Band 5089

Das erschütternde Tagebuch der Anne Frank bewegt wie Weniges sonst die Menschen unserer Zeit. Viele Leser äußerten den Wunsch, mehr über Leben und Sterben dieses Mädchens zu erfahren. Ernst Schnabel beschreibt in seinem Bericht, gestützt auf Dokumente und Gespräche mit Menschen, die Anne Frank gekannt haben, das Schicksal dieses Kindes, das für viele zum Symbol des Guten in einer Epoche des Schreckens und der Finsternis geworden ist.
»So blieb diese Stimme bewahrt«, schreibt Ernst Schnabel, »eine von den Millionen, die verstummt sind, vielleicht die schwächste von allen. Und sie überdauerte das Geschrei der Mörder und überflügelte die Stimmen der Zeit.«
Der Band enthält außerdem Aufzeichnungen und Märchen von Anne Frank, Fotos und Faksimiles.

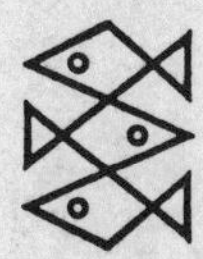

FISCHER TASCHENBUCH VERLAG

Bibliothek der verbrannten Bücher

Alfred Kantorowicz
Spanisches Kriegstagebuch
Band 5175

Zwischen 1936 und 1938 nahm Alfred Kantorowicz als Offizier der Internationalen Brigaden am Spanischen Bürgerkrieg teil. Sein Buch erschien zunächst unter dem Titel »Madrid Diary« 1938 in London und New York. Erst eine Generation später erschien die erste deutsche Ausgabe.

Egon Erwin Kisch
Geschichten aus sieben Ghettos
Band 5174

Das Buch zeigt Egon Erwin Kisch als großartigen und einfühlsamen Erzähler jüdischer Geschichte und jüdischen Lebens in den Ghettos von Amsterdam bis Bagdad, vom Dreißigjährigen Krieg bis zur jüngsten Vergangenheit.

Heinz Liepman
Das Vaterland
Band 5170

Der Autor beschreibt, was sich innerhalb von acht Wochen nach der Machtübernahme durch die Nazis alles verändert hat. Freundschaften funktionieren nicht mehr, es gibt plötzlich Unpersonen und gänzlich Recht- und Wehrlose.

Konrad Merz
Ein Mensch fällt aus Deutschland
Band 5172

»... In seiner Verbannung und in seinem Verhältnis zu dem neuen Stück Erde, auf dem er wohnen muß, läßt sich Konrad Merz mit einem anderen Emigranten vergleichen: Heinrich Heine.« Menno ter Braak

Theodor Plievier
Der Kaiser ging, die Generäle blieben
Band 5171

Dieser Dokumentar-Roman beschreibt die bekannte, aber nie recht akzeptierte Tatsache, daß bei Ende des 1. Weltkrieges die Hohenzollern zwar entmachtet wurden, die Macht der Träger der Wilhelminischen Gesellschaft aber weitgehend unangetastet blieb.

Fischer Taschenbuch Verlag

Hermann Langbein

......nicht wie die Schafe zur Schlachtbank

Widerstand in den nationalsozialistischen Konzentrationslagern

Fischer

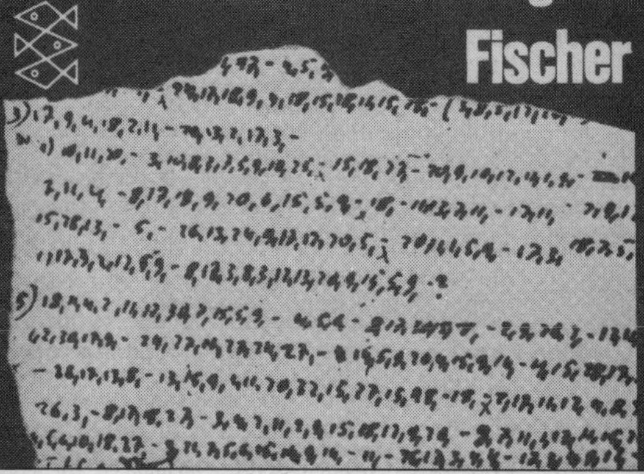

Originalausgabe Band 3486

Das Standardwerk über den Widerstand in den nationalsozialistischen Konzentrationslagern (1938-1945)

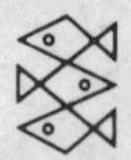

Fischer Taschenbücher

Fred K. Prieberg

Musik im NS-Staat

Band 6901

Dieser Band ist eine »politische Musikgeschichte« der Jahre 1933–45 in Deutschland bis hin zu den im Krieg besetzten Ländern. Anhand typischer Lebensläufe von Komponisten, Dirigenten und Musikschriftstellern wird gezeigt, daß jede Art von Karriere nur im Hinblick auf politische Nützlichkeit gelingen konnte, sei es durch Ergebenheitsadressen, durch Hitlerkantaten, Soldatenlieder etc. Daneben gab es aber auch geschützte Ecken, in denen Künstler »undeutsch« agieren konnten, sofern es deutsche oder »nordische« Künstler waren: So gingen selbst Hindemithscher Stil und Zwölftontechnik, sogar Jazz unbemerkt oder zumindest ungerügt durch. Zusammenfassend wird in diesem Buch deutlich, daß sich die Musikpolitik im Dritten Reich auf den Boykott des jüdischen Anteils und auf die Organisation eines statistisch beachtlichen und künstlerisch hochstehenden Musikbetriebes konzentrierte, der auch noch das letzte Dorf erreichen sollte. Die eigentlichen Ziele der NS-Musikpolitik, sogar die komplette »Entjudung«, bleiben aber nahezu unverwirklicht.

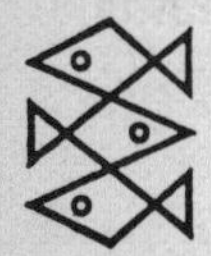

Fischer Taschenbuch Verlag